Scrittori italiani e stranieri

Luca Bianchini

So che un giorno tornerai

ROMANZO

MONDADORI

Dello stesso autore in edizione Mondadori

Nessuno come noi
Dimmi che credi al destino
La cena di Natale
Io che amo solo te
Siamo solo amici
Se domani farà bel tempo
Eros – Lo giuro
Ti seguo ogni notte
Instant Love

La vicenda e i personaggi descritti in questo romanzo sono piuttosto inventati. I luoghi e alcuni nomi sono reali, anche se molti dettagli sono frutto della fantasia dell'autore. Ogni riferimento a fatti e persone realmente esistiti o esistenti è puramente casuale.

Facebook: Luca Bianchini
Instagram: bianchiniofficial

librimondadori.it
anobii.com

So che un giorno tornerai
di Luca Bianchini
Collezione Scrittori italiani e stranieri

ISBN 978-88-04-70615-1

Pubblicato in accordo con S&P Literary - Agenzia letteraria Sosia & Pistoia
I edizione ottobre 2018

So che un giorno tornerai

A Floriana Ferrari,
che doveva chiamarsi Giorgio

Trieste ha una scontrosa
grazia. Se piace,
è come un ragazzaccio aspro e vorace,
con gli occhi azzurri e mani troppo grandi
per regalare un fiore;
come un amore
con gelosia.

UMBERTO SABA, *Trieste*

I

1

Non tutti abbiamo il nome che vorremmo.

C'è chi eredita quello del nonno, chi sogna quello del padre, chi si chiama Diego Armando come Maradona o Sonny come il protagonista di "Miami Vice". Chi si ritrova il nome che non sai come si scrive o quello che non ha nessuno, e chi quello che hanno in troppi.

Ma non era mai capitato ciò che accadde a una piccola appena nata a Trieste, una mattina di dicembre alla fine degli anni Sessanta, il giorno prima di San Nicolò, il vero Babbo Natale per i bambini della città. Mentre tutti finivano di impacchettare gli ultimi regali, il suo batuffolo di capelli neri che la bora non era riuscita ancora a scompigliare faceva capolino all'Ospedale Maggiore.

Una finestra del piano sbatté così forte che sembrò sul punto di rompersi. Quella neonata aveva appena visto il mondo e il mondo l'aveva accolta con la tempesta, malgrado il sorriso dell'ostetrica che non si abituava mai a quel momento irripetibile, e la porgeva dolcemente a sua madre.

«Signora, è femmina... come la vuole chiamare?»

Angela restò immobile, come se il suo parto non fosse finito ma stesse per ricominciare di nuovo. Era femmina, aveva sentito bene. E pronunciò il nome che aveva sempre pensato.

«Giorgio.»

«Guardi che è una femmina, signora, non si può chiamare Giorgio.»

La neomamma rimase in silenzio, e tutto il mondo le cadde sulle spalle e sulle sue ossa già rotte per le dieci ore di travaglio.

«Io avevo pensato solo a nomi da maschio. Non si può chiamare Giorgio?»

L'ostetrica ebbe un attimo di spaesamento. Aveva assistito a tante nascite, ed era sempre una storia diversa: una volta un bimbo aveva cambiato tre nomi in dieci minuti; un'altra aveva sentito la madre chiamare la figlia Barbarella; ma non erano mancati anche Tex, Santorini e Marilyn Caponata – Caponata di cognome. Giorgio per una femmina però le mancava. Si avvicinò ad Angela, mostrandole ancora quella piccola con tenerezza.

«È femmina, non si può chiamare così. Mi dovrebbe dire un altro nome.»

Angela si guardò intorno affranta, e si sentì sola. Aveva fatto di tutto perché fosse maschio, convinta di poterci riuscire: aveva pregato, aveva mangiato pochissimi latticini e rinunciato ai dolci – lo aveva letto sul "Piccolo", il vangelo quotidiano dei triestini –, per mesi gli aveva parlato al maschile e gli aveva promesso grandi cose. E da come si muoveva nella pancia lei era certa di avercela fatta: sembrava un calciatore. Ma lo sguardo dell'ostetrica non le lasciava speranza: «Ci pensi un attimo» le disse mentre la riaccompagnava in stanza.

Sul comodino Angela ritrovò una copia di *Kolossal*, il fotoromanzo che stava leggendo. La storia s'intitolava *Poi all'improvviso un bacio* e aveva come protagonista Katiuscia, il cui nome occupava tutta la copertina. Tutte quelle "k" le diedero una specie di stordimento, per cui disse «Katiuscia» cercando di metterci un po' di enfasi.

«È sicura, signora?»

«Sicurissima. Se non possiamo chiamarla Giorgio, allora direi Katiuscia.»

L'ostetrica la osservò fino all'ultimo in dubbio se parlare o no, ma non resistette.

«Se posso darle un consiglio, cambi idea. Come si fa a dare il nome della protagonista di un fotoromanzo? La chiami Emma, come Madame Bovary.»

«Madame chi?»

«Quella del libro francese.»

Angela non ebbe la forza di opporsi: aveva diciannove anni e il mondo che pensava di avere in mano le era precipitato in testa. Non sapeva che fare e quella donna davanti a lei era l'unica cosa che sembrava darle forza. Per cui disse solo: «Allora va bene Emma».

L'ostetrica tornò a occuparsi della bambina, mentre Angela provava a riposare. Non si era mai sentita abbandonata come in quel momento.

I refoli di bora continuavano a picchiare sui vetri, mentre la sua vicina di letto allattava il proprio figlio circondata da parenti entusiasti. Angela cominciò a piangere senza far rumore. Piangeva con gli occhi chiusi, convinta che così nessuno la potesse vedere.

Era nata una femmina, e quella notizia era la fine di tutte le sue illusioni. Il rigore sbagliato al Novantesimo. Pensò alla "dieta cromosomica" che avrebbe dovuto iniziare prima di scoprire di essere incinta. E poi le venne in mente il giro delle sette chiese che aveva fatto una mattina, letteralmente: era stata a San Giusto, a Santa Maria Maggiore, alla chiesa evangelica di San Silvestro, a quella greco-ortodossa, al tempio serbo-ortodosso di San Spiridione, alla sinagoga e infine a quella evangelica luterana. Se c'era un dio, l'aveva trovato. Pensò anche alle promesse che aveva fatto al piccolo, come quella di iscriverlo alla scuola di calcio della Triestina. Era convinta che sarebbe diventato un attaccante.

L'ostetrica tornò nella stanza con un sorriso disarmante e per un attimo Angela ebbe la percezione che ci fosse stato un errore, che si potesse tornare indietro come nei sogni.

«C'è una visita per lei... credo suo marito.»

L'ostetrica vide Angela cambiare espressione: forse la sua storia non era finita. Forse l'uomo che amava sarebbe tornato da lei, anche se era nata una bambina. Forse aveva deciso di lasciare la moglie, che tanto di figli al momento non riusciva ad averne. E per un maschio ci sarebbe stato tempo.

Vide un mazzo di fiori spuntare nella stanza e un sorriso le comparve sul volto. Durò giusto il tempo di sentire il profumo delle rose, perché dietro non c'era "suo marito", che poi marito non era. C'era suo padre, Igor Pipan, che per tutti a San Giusto era *el* Pipan: cinquantacinque anni, cinque figli, di cui una sola femmina – Angela – e due miti: l'imperatore d'Austria Francesco Giuseppe, che campeggiava in cucina ritratto in un quadro, e la cantante Milva, di cui conservava una foto nel portafoglio.

Appena aveva appreso la notizia, il nonno si era precipitato in ospedale. In quel momento non gliene importava troppo che sua figlia avesse combinato questo guaio: davanti a un neonato tutto si risolve, pensava.

«Papà, credevo che tu... insomma che non venissi.»

«E perché?»

«Perché ho fatto 'sto casino...»

«Siamo triestini, siamo sempre stati in mezzo al casino. E sai cosa diceva mio padre? Che la nostra faccia l'ha scavata la bora, che porta via anche i dispiaceri... quindi stai tranquilla. Sei sollevata, adesso?»

«Ora che mi dici così, sì.»

«E dov'è mio nipote?»

«Papà, purtroppo è una bambina.»

«Sta bene?»

«Sì.»

«È l'unica cosa che conta.»

L'ostetrica entrò nella stanza con la piccola avvolta nelle coperte. La porse al Pipan senza essere sicura se fosse il padre o il nonno.

«Ecco qui sua... sua... ecco qui la bambina. Allora lasciamo Emma?»

Il Pipan non ascoltava già più. Guardò quel piccolo essere e se ne innamorò perdutamente. La sua prima nipotina.

La prese in braccio e gli sembrò una gatta, talmente era leggera e agitata. Strillava così forte che la potevano sentire fino a Barcola, per cui la passò ad Angela, che la prese senza troppi tentennamenti.

Era sua figlia, e ciò che le rimaneva di Pasquale, che le aveva fatto conoscere cosa poteva essere la felicità. «Se è un maschio lo riconosco» le aveva detto senza esitazioni, come se puntasse alla roulette. E lei si era aggrappata a quelle parole per mesi, guardando la pallina roteare, evitando i dolci e facendo il giro delle sette chiese. Non era servito a niente. A guardarla bene, però, aveva i capelli così neri da sembrare un maschio, e per un attimo si tranquillizzò. Cercava ancora un appiglio per far avverare un desiderio impossibile. Come se il croupier le regalasse un'altra *fiche* prima di dire *rien ne va plus*.

Emma intanto si era calmata e non strillava più. Sembrava quasi aver capito che era meglio non dare altri problemi. Il Pipan le sfiorò le piccole guance con le sue grandi dita, guardò Angela e le disse: «Andrà tutto bene».

2

La piccola Emma tornò a casa dopo pochi giorni con un nome ma senza un cognome. Non che all'epoca le potesse interessare granché, essendo le sue priorità mangiare, dormire, e piangere per mangiare. Non aveva ancora ufficialmente un padre, ma nel frattempo poteva contare su una madre, quattro zii – tutti maschi –, il nonno e una nonna, Nerina, che fu l'ultima ad arrivare in ospedale perché aveva voluto portare i kranz alle noci appena sfornati come dolce di buon auspicio.

I Pipan abitavano in una casa su due piani – non collegati tra loro – in via della Bora, dietro il campanile di Santa Maria Maggiore. Le camere di Angela e dei suoi fratelli erano al piano superiore, mentre la cucina, il bagno e la camera da letto dei genitori si trovavano al piano di sotto. Per accedere alle stanze dei ragazzi bisognava passare da una scala esterna, il che rendeva l'abitazione un po' scomoda ma anche utile se si voleva uscire indisturbati.

Angela era la star della famiglia. La ragazza più bella di San Giusto, e una delle più belle di Trieste. I suoi fratelli erano da sempre orgogliosi di lei, la proteggevano, la spiavano mentre si provava gli abiti e pendevano dalle sue labbra. Lei che si muoveva in modo sinuoso, comprava le riviste di moda e suggeriva ai fratelli come comportarsi per fare colpo sulle altre *mule* della città. Lei che "andava al bagno" al Bivio, a un passo dal castello di Miramare, e voleva assomigliare a Monica Vitti, suo idolo assoluto, di cui conservava i ritagli di giornale.

Lei che ora si trovava nella sua camera di ragazza piena di disordine e minigonne, che chissà quando si sarebbe potuta mettere di nuovo per uscire. Il Pipan le aveva rimediato una culla da un rigattiere in Cavana, e assisteva con orgoglio al primo sonnellino casalingo della nipotina. Per istinto, Emma decise di frignare il meno possibile, perché sua mamma sembrava già abbastanza triste: «Perché?» si chiedeva, «perché proprio a me?».

Angela riguardava sua figlia e pensava che sarebbe bastato così poco perché fosse un maschio. Cosa sarà mai quel pistolino? Un maschio sarebbe stata la sua unica salvezza, perché Pasquale lo avrebbe accettato. Poi magari avrebbe lasciato sua moglie, di cui Angela aveva scoperto l'esistenza quando ormai era troppo tardi.

Lui era uno dei primi "jeansinari" del mercato di piazza Ponterosso. Era venuto su dalla Calabria e aveva trovato a Trieste la mecca in cui arricchirsi: vendeva jeans Rifle a centinaia di jugoslavi che inondavano ogni giorno le vie del borgo teresiano per accaparrarsi quel simbolo tanto desiderato dell'Occidente. Era il più bravo a trattare i prezzi, e il rischio era la sua forza. Sua moglie, visto l'andamento favorevole degli affari, aveva lasciato il paesino in cui si erano sposati e si era trasferita in una villa a due passi dalla costiera triestina dove faceva la signora arricchita.

Pasquale aveva conosciuto Angela alla pasticceria La Bomboniera, dove lavorava come commessa, e se n'era subito innamorato, come fanno i latin lover quando ci mettono un po' di cuore. Nella sua ingenuità, lei non si era nemmeno accorta che un uomo che vive solo non compra tutti quei presnitz e quelle paste, soprattutto la domenica: «Ma io sono *'taliano* e voglio assaggiare le specialità triestine» diceva per fare lo spiritoso. E lei ci era cascata come una pera di Lubiana.

Angela pensava a una delle prime volte in cui l'aveva incontrato dopo il lavoro, quando le aveva regalato una collana d'oro con cui una signora aveva pagato dei jeans: «Appena l'ho vista ho subito pensato che era per te» le aveva detto, e lei si vedeva sulla Croisette insieme a Mario Monicelli. Stava ancora accarezzando quel gioiello, quando suo fratello Riccardo entrò nella stanza. Era il secondogenito, dietro a Primo – che all'anagrafe era Francesco Giuseppe – e davanti ai due gemelli, che tutti chiamavano il Biondo, per il colore dei capelli, e il Coccolo, perché il più tenero.

I Pipan appartenevano al clan degli ormeggiatori del vecchio porto: pochi sforzi e buoni guadagni, e avevano quasi tutti le mani bucate. In particolare Riccardo che, di fatto, veniva considerato il sex symbol del bagno Ausonia, dando del filo da torcere ai nuotatori della Triestina.

Quando la vide, si sentì sollevato: era andato tutto bene. Aveva però un messaggio da riportarle.

«È venuto Jure e dice che Pasquale si è fatto vivo. Voleva sapere se il bimbo è nato, ha detto di richiamarlo e ha lasciato un numero... vai a sentire tu, che guardo io la bambina.»

Angela provò a rimboccare la copertina di Emma, ma non sapeva bene come fare. Si arrangiò in qualche modo e uscì di corsa dalla stanza per andare al bar Stella all'inizio di Cavana che era un po' la casella postale di tutta la famiglia. Lì arrivavano le chiamate e i messaggi, e il vecchio Jure, il proprietario, era il loro custode. Sapeva praticamente tutto di tutti ed era un gran pettegolo: molte delle trame amorose le tesseva lui, con un talento quasi involontario.

Angela infilò le scale, passò davanti alla porta della cucina e tirò dritto senza avvisare i suoi genitori. Quando Pasquale chiamava, lei correva. Scese gli scaloni della chiesa e in un attimo si trovò nell'unico locale frequentabile della zona. Quel bar all'angolo rappresentava una specie di frontiera. Da lì, la Cavana diventava quasi impraticabile, abbandonata a se stessa e in balia di ladruncoli, prostitute e gentaglia, anche se Angela era curiosa e cercava sempre di sbirciare cosa succedeva.

Jure, appena vide che la sua cliente preferita non aveva più la pancia, le versò subito un bicchierino di Malvasia.

«Ora che puoi bere, dobbiamo festeggiare. Maschio o femmina?»

Quella domanda di pura curiosità suscitò in Angela uno scombussolamento interiore che l'ammutolì per qualche istante. Lei sempre così estroversa e senza nemmeno un raggio di sole a illuminarla.

«Femmina, purtroppo.»

Jure la guardò senza capire, ma era troppo indaffarato per fermarsi a riflettere.

«Il mondo preferisce le donne, fidati» le rispose mentre versava il vino. «Vuoi richiamare ora il jeansinaro? Ha lasciato il telefono di casa di suo cugino. Oggi sta da lui, magari ha litigato con la moglie. Potrebbe essere, no? Aveva fretta di sapere se hai partorito.»

Angela pareva impassibile, mentre il vino le dava un po' di coraggio e il cuore le batteva all'impazzata. Era innamorata.

«Senti, chiamalo tu... te lo chiedo per favore. Digli solo che ho partorito e che tra un'ora lo aspetto al Molo Audace, okay?»

Jure finalmente interruppe le sue faccende e la fissò. Non poteva credere che quella ragazza che aveva avuto sempre tutti ai suoi piedi fosse d'improvviso tanto fragile. Nella sua vita aveva incontrato molte donne e ascoltato molte storie, ma non gli era mai capitata una ragazza così afflitta subito dopo il parto. Come se la priorità non fosse il figlio, ma lei stessa.

Si avvicinò al telefono nascosto da un séparé e compose il numero. Angela gli stava vicino e continuava a dirgli di fare come se lei non ci fosse.

Jure si sentiva un po' un attore, e soprattutto credeva di avere un ruolo importante, e questa cosa lo eccitava. Al secondo squillo, Pasquale rispose direttamente, e lui gli spiegò la situazione: «Posso dirti solo che ha partorito e che tra un'ora ti aspetta al Molo Audace».

Pasquale non ebbe alternative. Si mise sul suo macchinone e dopo poco più di mezz'ora parcheggiò. Il mercato aveva già sbaraccato e i pullman degli jugoslavi stavano lasciando i parcheggi liberi sulle Rive. C'era ancora nell'aria il clima festoso di San Nicolò, giorni in cui la città si animava di euforia e bancarelle, ma la bora rallentava l'entusiasmo di chi voleva passeggiare.

A vederlo da piazza Unità, il Molo Audace sembrava quasi anonimo, ma solo chi lo percorreva fino in fondo riceveva, voltandosi, un regalo inaspettato: una vista unica di Trieste, sospesa tra il cielo, il mare e le sue luci.

Pasquale si sistemò il giaccone, si passò una mano tra i capelli mossi e si sedette su una delle ultime bitte, quella dove lui e Angela si erano baciati tante volte guardando il sole tramontare. Faceva freddo e quella città gli sembrava troppo lontana da lui, troppo severa, troppo difficile da capire. Se fosse rimasto in Calabria sarebbe stato diverso. Si sarebbe comportato in modo più cauto, avrebbe avuto troppi occhi puntati addosso per fare il cretino con altre ragazze. Ma Trieste era una città di frontiera dove le barriere venivano continuamente abbattute liberando ogni sorta di freno inibitorio. Lui, poi, si sentiva forte dei suoi commerci: per avere venticinque anni guadagnava come un vecchio imprenditore.

A un certo punto, piccola come una speranza, Pasquale vide arrivare all'orizzonte una sagoma che si muoveva a passi incerti, con una testa bionda e spettinata e un cappotto nero che le dava un che di misterioso. Il rumore delle onde del mare nascondeva ogni emozione.

Pasquale non resistette e balzò in piedi. Le andò incontro velocemente. Più lo vedeva avvicinare, più Angela sentiva che non ce l'avrebbe fatta a vivere senza di lui. E anche se non si faceva più illusioni, voleva incrociare i suoi occhi ancora una volta.

«Allora è nato?»

«Sì.»

«Bene. Ed è...»

«Ed è andato tutto bene.»

«No, intendevo, è maschio?»

Angela era un po' come "la ragazza con la pistola", che aveva appena visto al cinema, disonorata e sola.

«No, è una bambina. Emma.»

Pasquale si sentì stranamente sollevato, ma non lo diede a vedere.

«Che bel nome.»

Lei colse in quelle parole una possibilità. Il croupier le stava dando un'altra *fiche*.

«Allora, che hai deciso?»

«In che senso?»
«Le darai il tuo cognome?»
Pasquale sentì un gelo nel cuore e tornò nei panni dell'abile commerciante che impersonava cinicamente con tutti. La ragazza che tanto aveva corteggiato in pasticceria, che tanto aveva desiderato e che un po' aveva ingannato – omettendole a lungo che era sposato – era diventata all'improvviso una donna, e una madre. Non poteva più essere un gioco, un amore clandestino, una bella storia triestina da raccontare agli amici. Lì si trattava di scegliere della sua vita. Di mettersi contro tutti i parenti di Santa Severina e i familiari di sua moglie. Di finire sulla bocca dei jeansinari di piazza Ponterosso. Gli venne una specie di paura, per cui cercò di rispondere nel modo più razionale possibile come se stesse trattando una partita di jeans.
«Non posso darle il mio cognome. Lo avrei fatto se fosse stato un maschio perché mio padre ci tiene al cognome e io non ho ancora figli. Sarebbe stato contento, ma comunque non posso lasciare mia moglie.»
La durezza di quelle parole strideva con il colore del cielo che si stava aprendo e pennellando di rosa. Angela si strinse nel cappotto cercando nelle tasche una pistola che non c'era. Voleva essere Monica Vitti, ma era una ragazza del piccolo schermo della vita. Avrebbe voluto gridargli «bastardo», ma non le uscivano le parole, temeva di perdere anche il piacere di quegli ultimi momenti assieme. Soltanto la bora sibilava forte lasciando i due sempre più soli, lambiti dagli schizzi del mare.
«Vieni ancora un attimo qui» le disse Pasquale tirandola verso di sé. E lei, mettendo da parte il poco orgoglio che aveva, si lasciò andare a un bacio che, per una volta, non le bastò. Era un bacio d'addio senza speranza, senza un domani, eppure continuava a crederci. Come se l'erotismo potesse compensare la mancanza di coraggio. Era convinta che se fosse diventata irresistibile, lui prima o poi sarebbe tornato.
«Adesso devo andare, Pasquale.»

«Dài, resta. Ce ne andiamo al Caffè degli Specchi... ti offro una cioccolata.»

Lui non era del tutto consapevole di quanto le stesse facendo male. Pensava che bastasse un po' di zucchero per porre rimedio all'amarezza.

«Ho una bambina che ora è con mio fratello. Devo allattarla.»

«Quindi adesso vai... e non ci vediamo più?»

«Non lo so.»

Voleva dirgli "no" ma non ci riuscì.

«Potrò vedere lo stesso Emma?»

Le fece effetto sentire il modo in cui Pasquale aveva pronunciato quel nome.

«Se non la vuoi, perché t'interessa vederla? Ora vado, ciao» disse tutto d'un fiato, sospinta dal vento che le faceva accelerare il discorso. Gli fece un saluto con la mano, voltò le spalle e si avviò verso piazza Unità, che nella sua bellezza austera sembrava ricordarle quanto fosse complicato vivere. Le pareva enorme, e lei si sentiva inesistente.

Angela camminava a testa bassa sperando che Pasquale la inseguisse per chiederle scusa, la prendesse in braccio e la riportasse a casa dalla loro bambina. Poi sarebbero andati in un altro quartiere, magari a San Vito, sognava lei, avrebbero trovato un appartamento e avrebbero cominciato a vivere insieme. Sarebbero andati al cinema tutte le domeniche, e d'estate in Jugoslavia, a Rovigno, dove c'erano tanti scogli. Ma Pasquale non si mosse, e la guardò allontanarsi. Sapeva di avere già abbastanza problemi e doveva tenere i sentimenti a freno. Perché all'improvviso la situazione gli fu veramente chiara: aveva fatto un gran casino. Il sangue gli ribolliva nelle vene e la testa gli pulsava di una sensazione a cui non sapeva dare un nome.

«Sono un coglione» si diceva «sono un coglione» e il mare non sapeva cosa rispondergli.

3

I passi dopo una sconfitta sono sempre molto lenti. Angela, man mano che si avvicinava a casa, sentiva il respiro farsi affannato e le gambe non rispondere più bene. Attraversò la strada così distrattamente che una 127 stava quasi per investirla.

Le scale di Santa Maria Maggiore erano sempre state il metro del suo stato d'animo. Se era felice, le saliva cantando De André, magari ancheggiando come su una passerella. Quando era di malumore, perdeva ogni forma di entusiasmo, rimaneva in religioso silenzio e addio zig-zag.

Per fortuna c'era poca gente in giro, altrimenti si sarebbe dovuta anche sorbire le felicitazioni per la nascita di Emma. Appena arrivò davanti a casa, si rese conto che in cucina c'era una specie di riunione di famiglia. Sentiva la voce di suo padre, *el* Pipan, e vedeva l'ombra di sua madre ai fornelli. Angela si mise ad ascoltare e riconobbe la voce di Primo, di uno dei gemelli e di Riccardo.

Le venne il dubbio che quel disgraziato di suo fratello avesse lasciato sola sua figlia, per cui salì di corsa le scale per andare in camera. Aprì la porta e trovò il Coccolo con la bambina in braccio, che la cullava. A quindici anni la muoveva come un bambolotto, tanto era piccola.

«Perché la guardi tu?»

«Papà voleva Riccardo in cucina e così son rimasto io. È stata bravissima, non ha mai pianto. Ha aperto gli occhi, cioè così mi è sembrato, e poi si è rimessa a dormire.»

Il Coccolo le passò quel fagottino che si ricordò di avere fame. Angela si aprì la camicetta e iniziò ad allattarla. Lui la guardava come una Madonna.

«Ma hai capito che succede giù?»

«Credo che nostro padre voglia andare a casa di quello.»

«Quello chi?»

«Il jeansinaro. Il padre di tua figlia, così ho sentito.»

Angela ebbe un sussulto e per un attimo interruppe la poppata di Emma che rimase qualche secondo a bocca aperta, in attesa.

I Pipan non avevano preso troppo male il fatto che Angela fosse rimasta incinta così giovane e non fosse sposata, ma il merito era stato di tre preti. Appena fatta la scoperta, si era sentita così in colpa da rifugiarsi in una delle famose sette chiese, la prima che aveva trovato, quella serbo-ortodossa, affollata di gente, a due passi dal mercato. Lì, disperata, si era messa in un angolo a piangere mentre tutti pregavano durante la funzione. E quando il pope le aveva chiesto cosa fosse successo, lei si era toccata semplicemente la pancia e aveva detto: «Ho fatto un pasticcio».

Il pope aveva così contattato il prete di San Silvestro, che a sua volta era andato a bussare a quello di Santa Maria Maggiore, che a sua volta era andato a casa dei Pipan ad annunciare la buona novella. Angela era tornata a casa non con una, ma con tre benedizioni, e sebbene sua madre fosse stata un po' rigida nell'accoglierla, *el* Pipan fu molto più indulgente di quanto lei potesse immaginare.

E ora lui – che sognava ancora di vivere sotto l'Austria – voleva giustizia.

Jure il barista era stato ben contento di aiutarlo a trovare quel calabrese che aveva visto spesso cambiare soldi al Banco di Sicilia.

Finito di allattare, Angela lasciò Emma tra le braccia del Coccolo per farle fare il ruttino, s'infilò di nuovo il cappotto e scese in cucina.

Appena entrò, calò il silenzio. Nerina era ancora in piedi a preparare una zuppa di fagioli. Con cinque figli, cucinava praticamente sempre. Angela vide i quattro uomini seduti che stavano decidendo cosa fare della sua vita senza consultarla.

«Allora?» chiese lei ben sapendo di essere l'oggetto del discorso.

«Adesso andiamo da lui e sentiamo cosa vuole fare.»

«Da Pasquale?»

«Certo. Jure ha scoperto dove abita, adesso andiamo a dirgli qualche parola e tu vieni con noi.»

«Papà, l'ho già incontrato. E lui ha detto che non riconoscerà mia figlia.»

Per la prima volta, dopo pochi giorni dalla sua nascita, Angela chiamò Emma "mia figlia".

«A me non interessa cosa ha detto a te. Voglio sentire cosa dirà a me, e in quel momento voglio guardarlo negli occhi. Ma devi esserci anche tu. Di tua figlia si occupa tua madre, che ne ha cresciuti cinque e si ricorda ancora come si fa. Tu, Primo, Riccardo e il Biondo preparatevi che andiamo. Il Coccolo invece sta qui.»

«Guarda che Pasquale è sposato e non vive da solo.»

«A me non interessa. Lui ti ha messo incinta e lui ne deve rispondere.»

Nerina, intanto, girava i fagioli e guardava la sua famiglia un po' sgangherata ma unita, una piccola squadra di calcio in cui i ruoli cambiavano continuamente, anche perché lavorando al porto i loro orari potevano essere molto variabili. Chi era più libero e meno stanco si dava da fare più degli altri, senza farlo pesare.

Tra tutti, Angela e Riccardo erano particolarmente pigri, godevano di qualche privilegio e si sentivano due celebrità locali. E la loro stessa madre non sapeva bene da chi avessero preso quegli occhi, quella bocca, quegli zigomi.

Il nugolo di fratelli uscì di casa con le facce di chi avrebbe preferito fare tutt'altro, ma quando *el* Pipan decideva una cosa non si poteva discutere.

Si mise al volante della 128, Riccardo di fianco a lui e Angela dietro – tra Primo e il Biondo – tremendamente in imbarazzo per quello che sarebbe potuto succedere di lì a poco. Pasquale le aveva appena detto al Molo Audace che non avrebbe riconosciuto la piccola, ma una speranza si era riaccesa: per tutte le figlie, il proprio padre resta sempre un supereroe capace di risolvere ogni cosa.

Il primo amore della sua vita era sicuramente già rientrato a casa, che di fatto era un villone affacciato sulla baia di Grignano. Pasquale lo affittava pagando in contanti nascosti dentro buste di plastica. Lui e gli altri jeansinari erano in eterna competizione a chi ostentava di più la ricchezza, e Pasquale voleva vincere.

La luna piena era spuntata dalle nubi e illuminava il golfo, ancora battuto dalla bora. Il Pipan aveva un foglietto in mano e ripeteva ad alta voce l'indirizzo ogni cinque minuti, mentre i ragazzi dietro consultavano una cartina.

Dopo mezz'ora di ricerche, si trovarono davanti a una casa già illuminata con le luci di Natale.

Il Pipan chiese al Biondo di restare in macchina: sarebbero andati a parlare solo gli adulti.

Angela guardò quella villa esagerata ed ebbe subito l'impressione di una grande menzogna. Un uomo così giovane non poteva vivere lì. Poi cercò gli occhi di Riccardo e lui le allungò la mano, stringendogliela forte. Tanto era tremendo con le ragazze, quanto sapeva essere galante con sua sorella. Lei che aveva appena partorito ed era di nuovo splendida, con i suoi capelli in disordine e gli occhi disegnati dalla matita nera.

Spadafora. Di cognome Pasquale si chiamava Spadafora.

Il Pipan si attaccò al citofono con una tale insistenza da infastidire chiunque.

«Chi è?»

«Devo parlare con Pasquale.»

«Sono io. Chi è?»

«Ora glielo spiego.»

Il tono del Pipan era così determinato che lui capì immediatamente di chi si trattasse, per cui fece finta di nulla. La moglie lo osservava preoccupata, ma lui bofonchiò «i soliti rompiscatole». Aveva appena finito di dirlo che il campanello suonò così forte e così a lungo che Pasquale Spadafora dovette affrontare la realtà.

Poco dopo vide entrare in casa sua nell'ordine: il Pipan, Primo, Riccardo e dietro, nascosta dalla vergogna, Angela. La testa bassa, e la voglia palpabile di scomparire.

Pasquale sentì la terra mancargli sotto i piedi e non osava guardare sua moglie. Il Pipan prese la parola quasi avesse un megafono: «Allora, questa è mia figlia, che tu hai conosciuto bene in pasticceria. È diventata madre da pochi giorni e il padre sei tu, lo sai vero?».

Lui non diceva niente, pensava solo a quanto era distante il mare che vedeva dalla sua finestra. Sua moglie, invece, era pietrificata.

«Lo so.»

«È nata una bambina stupenda. La riconosci o no?»

Pasquale non osava guardare Angela, e nemmeno sua moglie. Guardava solo il Pipan facendo leva sul coraggio della disperazione.

«Mi spiace ma... io sono già sposato. Non posso riconoscerla. È stato un errore, e ancora mi chiedo come sia stato possibile.»

«Non è mai un errore. E comunque a me non interessa sapere com'è andata ma ti chiedo: chi mi ripaga? Chi farà tornare il sorriso a mia figlia?»

Il Pipan aveva gli occhi iniettati di sangue, le mani che gli prudevano – Riccardo non lo perdeva di vista – e l'impotenza di chi capisce che non ci sarà una soluzione.

Angela, invece, guardava quella giovane donna che aveva solo immaginato quando aveva scoperto che Pasquale non era libero. Era proprio la moglie di un jeansinaro: troppo truccata, troppi gioielli, sembrava più grande della sua età. O forse era solo lei a vederla in quel modo: l'odio fa sembrare brutto chiunque. La donna continuava a stare in silenzio, senza cambiare espressione, sconvolta e sempre più pallida. Tanto legata alle convenzioni da fare appello a tutto il suo coraggio per chiedere: «Volete un caffè?», che nessuno accettò.

Pasquale non sapeva come uscirne vivo. Pensava di aver già chiuso la questione al Molo Audace, ma dopo poche ore doveva affrontarla di nuovo, davanti a quelle persone che lo mettevano in soggezione. Per un attimo, nella sua testa si riaprì una possibilità, perché Angela era un fiore bellissimo che lui aveva strappato senza chiedere permesso a nessuno, tantomeno alla sua coscienza. Ma a Santa Severina sarebbe scoppiata una rivoluzione, e i familiari di sua moglie sarebbero saliti per pestarlo.

Il Pipan, dopo aver incassato il no, prese la decisione che aveva già in testa: Emma l'avrebbe cresciuta lui. In fondo, l'impero asburgico aveva insegnato questo ai triestini: dignità, laicità e concretezza. Per cui la bambina avrebbe avuto il suo cognome: Emma Pipan. Non sarebbe stata solo sua nipote ma una figlia speciale. E per un nonno, in fondo, i nipoti sono dei figli speciali.

Girò i tacchi, disse «buonasera» e uscì, trascinandosi dietro Primo, Riccardo e Angela, che non cercò gli occhi di Pasquale ma solo quelli della moglie per capire cosa aveva più di lei.

Quando erano ormai al cancello, lui li raggiunse di corsa. In mano aveva un sacco nero, come quelli dell'immondizia. Era pieno di soldi.

«Non so se questi serviranno... ma è l'unica cosa che posso fare.»

Primo stava per prendere quel sacco e tirarglielo in testa, ma il Pipan lo fermò prima dello scatto d'ira.

«Meglio di niente» disse prendendo i soldi, sotto gli occhi sbalorditi dei suoi figli. Salì in macchina, ordinando solo al Biondo di muoversi.

Non dissero nulla fino a che non arrivarono in centro. A far loro compagnia solo le chiome degli alberi, che si muovevano nella notte scosse dagli ultimi refoli di bora. Ma la domanda cui tutti pensavano era nell'aria. Il Pipan li precedette: «La vita è lunga e i soldi servono sempre. L'orgoglio, invece, non serve a niente».

Dopo aver detto quelle parole, nessuno osò più fiatare, anche se tutti morivano dal freddo e dalla curiosità di vuotare il sacco e contare le banconote.

4

La famiglia Pipan rientrò verso San Giusto senza dire nulla, cosa che per loro era un fatto epocale. Angela aveva gli occhi persi nel mare agitato, e si chiedeva come facesse Pasquale a stare con quella donna.

Lo rivedeva e risentiva tutte le scuse che aveva inventato quando non poteva uscire la sera con lei, perché aveva sempre da fare con qualche parente o con i fornitori di jeans.

Riccardo la guardava e cercava di rassicurarla. Per lui quella gravidanza era stato un duro colpo, perché sua sorella era da sempre la complice ideale delle loro scorribande. Si coprivano a vicenda, uscivano insieme dicendo di andare a ballare il twist, e poi davanti alla chiesa di San Silvestro si separavano e ognuno seguiva la propria strada. Si davano appuntamento solo a fine serata, momento in cui era sempre Angela a dover aspettare Riccardo. Tranne la volta in cui lei fece più tardi e non tornò da sola, ma con una piccola creatura nella pancia. Lui era stato l'unico a saperlo, prima ancora di Pasquale. Le aveva detto solo «E adesso?», come se di colpo fosse finita un'epoca e da quel momento la vita assumesse un altro sapore.

Il Pipan, intanto, si preparava a sostituirsi a quell'uomo poco coraggioso. Ne approfittò per dare istruzioni ai gemelli, dicendo che quando si fa l'amore con le *mule* bisogna stare attenti, perché a volersi divertire a volte si fanno pasticci, e il Biondo continuò il discorso imitandolo: «Ma come diceva Francesco Giuseppe...» per far sorridere Angela. Per fortuna lui non se ne accorse, o fece finta, e concluse la frase in un altro modo: «Siamo tanti, e siamo abbastanza forti per crescere Emma felice».

La parola "felice" era quanto di più distante ci fosse nella testa di Angela, che guardava fuori e non vedeva nemmeno più il mare. Sentiva solo il "no" che Pasquale, nel giro di poche ore, aveva ribadito due volte, senza riuscire a disprezzarlo. L'amore fatale è così: dimentica il male e vive solo dell'attimo perfetto.

Misero piede dentro casa che era già ora di cena e tutti a San Giusto erano seduti a tavola. Le poche famiglie del quartiere che avevano il televisore lo tenevano ad alto volume non tanto per vantarsi, ma per far sentire ai vicini le notizie del telegiornale. Era un quartiere in cui ognuno si dava da fare e a proprio modo ci si voleva bene.

Alcuni ragazzi sfidavano il freddo giocando a calcio davanti all'arco. I tre fratelli si buttarono subito nella mischia rassicurando il Pipan che si sarebbero fermati poco. Quando entrarono in cucina, Nerina non c'era. Salirono al piano di sopra e la trovarono che stava cullando Emma per tranquillizzarla: «Non potete lasciare una neonata al Coccolo mentre io devo cucinare! Almeno è andata bene da quello?».

Angela non ebbe la forza di rispondere, perché si trovò Emma tra le braccia. Quei capelli così neri le ricordavano Pasquale e lei non riusciva a guardarli. Per cui l'allattò fissando il muro.

Nerina osservava quelle due creature che discendevano da lei e non riusciva a capire chi fosse più sprovveduta. Appena tutti se ne furono andati, Riccardo le disse: «Ho contato i soldi: nel sacco ci sono sette milioni, hai capito? Sette milioni!».

«Non m'importa dei soldi. Io volevo solo lui. Sono disperata, Riccardo.»

Mentre teneva tra le braccia sua figlia, Angela appoggiò la testa sulla spalla di suo fratello.

«Lui mi diceva che mi amava, che ero l'unica. E io gli ho creduto, capisci?»

Riccardo pensò a tutte le ragazze a cui aveva detto le stesse frasi in quegli anni, davanti al juke-box dell'Ausonia, facendo promesse che non avrebbe mantenuto. Prese la piccola in braccio senza chiedere permesso. Le osservò le mani minuscole.

«È così coccola.»

«Sì, ma non ha un padre.»

«Però ha una madre giovane e bella. E tanti zii. E due nonni.»

«Io vorrei solo sparire, e mi sento vecchia.»

Il Biondo entrò in camera per avvertirli che la cena era pronta.

Riccardo prese Angela da un lato ed Emma dall'altro, e affrontò le scale senza tentennamenti. La presenza della neonata era in qualche modo "ingombrante", e rendeva la cucina più piccola del solito.

La stanza aveva un odore confortevole, fatto di legumi, verdure e legna bruciata nel camino. Emma dormiva, come se non volesse sentire le parole che per una volta fu la nonna a pronunciare. Dopo essersi fatta spiegare bene la situazione, aveva improvvisato questa specie di discorso, con addosso il grembiule macchiato e il cerchietto in testa.

«Sono felice che oggi, ufficialmente, a casa Pipan c'è una persona in più... è la mia nipotina. Ci ha fatto un'improvvisata, e anche se quel disgraziato di suo padre è sparito, noi la cresceremo forte come una guerriera perché siamo triestini e la vita non è mai stata facile per noi.»

Si alzò in piedi e propose un brindisi cui tutti si unirono, Angela compresa. Il Pipan, spiazzato dalla moglie, si sentì subito in dovere di puntualizzare: «La vita non è mai stata facile per noi, è vero, ma poi sono arrivati gli Asburgo. E lì la musica è cambiata».

Riccardo approfittò del brusio generale e sussurrò nell'orecchio di Angela: «Perché stasera non ce ne andiamo a ballare?».

«E dove?»

«C'è una specie di gara di twist al Paradiso... comincia alle nove... che dici?»

«Ma io ho appena partorito.»

«Allora? Se ti hanno mandato a casa vuol dire che stai bene.»

Angela vide in quella proposta una via d'uscita.

«Sì ma come faccio con la bambina?»

Non riusciva ancora a chiamarla Emma.

«Tanto stiamo poco. L'allatti e poi usciamo subito. E tu non hai una parrucca con la treccia che ogni tanto ti metti in casa per fare Monica Vitti?»

«Certo.»

«Allora è fatta: la mettiamo in testa a Coccolo che dorme nella tua stanza fino a che non torniamo. Così la bambina non è sola e se nostro padre viene su pensa che tu ti sia dimenticata addosso la parrucca ed è tutto a posto... che ne dici?»

In quel momento ad Angela sarebbe andata bene qualsiasi cosa pur di evadere. Finirono in fretta la cena, salirono in camera con la neonata e chiesero al gemello quindicenne di aiutarli. Ci vollero cinquecento lire per convincerlo a mettersi la treccia in testa senza protestare e infilarsi nel letto al minimo rumore. «Se piange devi darle il ciuccio» gli fece vedere Angela pensando di essere ormai una madre perfetta. E Coccolo annuì senza ribattere, anche perché glielo stava ordinando Riccardo, che in casa era un mito: se avesse fatto tutto ciò che gli diceva, sarebbe diventato figo come lui.

Intanto, però, mentre riassettava la cucina, Nerina rifletté che avrebbe dovuto vigilare di più sulla vita di sua figlia. Per contrastare suo marito e il suo sogno austriaco fatto di regole e rigore, aveva pensato che fosse meglio lasciare i loro ragazzi più liberi, e che si arrangiassero da soli. Forse aveva esagerato, ma ormai era inutile voltarsi indietro.

In quell'istante, Angela e Riccardo passarono di nascosto sotto la sua finestra per andare a ballare il twist.

5

Quando arrivavano i fratelli Pipan, il Dancing Paradiso tirava fuori il tappeto rosso. Riccardo era il classico sciupafemmine: appena vedeva una ragazza la puntava, la invitava a ballare, la portava a vedere le stelle e poi, dopo averle rubato il cuore, spariva. Era il peggiore dei cliché ma la conquista era il suo punto debole, la sua cifra, la sua dipendenza. Le donne gli piacevano oltre ogni limite e l'unica che gli teneva testa era sua sorella. Si assomigliavano soprattutto in quella malinconia che li faceva sempre sentire fuori posto nel luogo in cui erano, come se avessero tutto per essere felici e facessero il possibile per rovinare le cose.

Forse Trieste era troppo piccola per loro che sognavano il mondo e il mondo lo vedevano solo attraversare la frontiera.

Appena entrati, posarono i cappotti al guardaroba senza pagare. La ragazza che li custodiva sognava di uscire una sera con Riccardo, che ovviamente se ne approfittava. Angela di solito lo sfotteva per questo, ma in quell'occasione non aveva voglia di scherzare. Anzi, si chiedeva cosa ci facesse lì, a ballare il twist, pochi giorni dopo aver partorito. Pasquale le aveva detto di no davanti a sua moglie, e quell'affronto era il peggiore schiaffo che potesse ricevere.

Riccardo sembrò leggerle nel pensiero e la trascinò in pista, anche se lei non ne aveva nessuna voglia. *Come on let's twist again* suonava l'orchestra, e a lei veniva solo da fuggire via. Ma suo fratello aveva il talento di farle cambiare umore: si sbottonò la camicia facendo vedere la catena d'oro e un po' di peli. Poi cominciò a fissarla sbattendo le ciglia, muovendosi sinuoso in quel modo così particolare che Angela alla fine cedette. Si ritrovò al centro della pista a ballare nel giorno più difficile dei suoi diciannove anni. Non guardava nessuno ma aveva addosso gli occhi di tutti.

In particolare c'era un ragazzo che la fissava, uno che non aveva mai visto. Ma Trieste era così: c'era sempre un volto che compariva e non avresti più ritrovato. È il destino delle città di confine.

Appena si accorse di essere osservata, Angela si avvicinò a suo fratello, che intanto aveva continuato ad aprire la camicia ricevendo un'ovazione che neanche Elvis the Pelvis, e aveva iniziato a flirtare con una ragazza. Quella era la ragione per cui amava il twist: era il ballo perfetto per conoscere le persone senza inviti formali. Ad Angela non restò che danzare con questo ragazzo sconosciuto, che non era bravo per niente ma ce la metteva tutta. Dopo poco la invitò a bordo pista.

«È da qualche mese che non ti vedo.»

Ad Angela ogni cosa, quella sera, sembrava difficile. Anche scambiare due parole.

«Io invece è la prima volta che ti noto.»

«Be', è normale. I belli sono nati per farsi guardare.»

La musica riecheggiava nella sala e amplificava lo stato d'animo di Angela. Tuttavia, quel ragazzone che le sorrideva la aiutava almeno a distrarsi, e riusciva a placarla come uno che blandisce una bestia feroce, o ferita. Era massiccio, con mani grandi e tozze, spalle evidenti, e un'aria difficile da inquadrare. Uno di quelli che non sai bene cosa pensano e quanti anni hanno.

«Dimmi cosa ti è successo, se ti va.»

«In realtà non mi va.»

«Allora sei stata lasciata.»

«Da cosa si capisce?»

«Dal fatto che ti guardi in giro e non vedi niente, perché hai la testa da un'altra parte.»

Angela decise di confidarsi, sperando che raccontare le portasse un po' di conforto.

«Il ragazzo che amavo mi ha mollato. Non mi aveva detto che era sposato e dopo un anno non poteva buttare all'aria il suo matrimonio.»

«E tu soffri per uno così?»

«Tanto. Mi sono illusa, mi sono fidata, e alla fine sono rimasta incinta. Mi aveva detto di non preoccuparmi, che avrebbe trovato una soluzione e poi è nata una... una...»

Non riusciva neanche a dirlo.

«Una?»

«Una bambina.»

«E adesso dov'è?»

Angela si ricordò che aveva lasciato Emma con Coccolo, travestito con la parrucca in testa.

«È a casa con mio fratello.»

«Ah, ma la bambina quanti anni ha?»

«Veramente, è nata da poco.»

Lui sgranò gli occhi sorpreso, ma non aveva voglia di fare la morale a nessuno. "Le triestine sono strane" pensò, ma gli piacevano per quello. Quella ragazza lo eccitava e al tempo stesso gli faceva tenerezza, con quell'ingenuità quasi surreale, per cui si offrì di accompagnarla a casa. Angela però voleva aspettare suo fratello, che in quel momento si baciava al centro della pista con la malcapitata di turno, circondato da un cerchio di persone che battevano le mani. Era nato per l'esibizione.

Lei provò a fargli cenno che andava via e che si sarebbero visti dopo ma Riccardo era troppo preso dal suo show *Limón Limonero* per risponderle. Era convinto che sua sorella avrebbe trovato un modo per rientrare senza lui. Così, quando la vide uscire, non si preoccupò più di tanto.

Una volta fuori dal locale, lei pensò solo che era tardi e che quel tipo le stava facendo il favore di riaccompagnarla.

«Ah, io mi chiamo Ferruccio.»

«Io Angela. Ma tu non sei di Trieste?»

«No, io sono di Bassano, anche se i miei sono lucani.»

Angela pensò che a lei piacevano solo i meridionali. E poi, per suo padre, meglio meridionale che friulano, quindi almeno un problema lo aveva risolto.

«E che ci fai qui?»

«Sono rappresentante di gioielli. Vengo, compro, vendo, c'è un bel giro anche con i Balcani.»

Angela si vide passare da un jeansinaro a un altro commerciante, peccato che gli affari non li facesse mai lei. Ferruccio, che ebbe subito la sensazione di conoscerla da sempre – o forse era solo un desiderio – le fece fare anche un giro in Cavana. Da come si muoveva si capiva che conosceva bene i vicoli e le puttane. Le offrì un "gocciato" alla Triestina, che chiudeva proprio a quell'ora e li inebriò con il suo profumo di caffè. E all'uscita salutò con affetto la "Muta", una prostituta storica, un vero personaggio di quel quartiere proibito. Lui sorrideva a tutti e se ne fregava, e non poteva credere che una ragazza come Angela avesse accettato il suo invito. Man mano che salivano a San Giusto, lei cominciò a essere nervosa. Doveva tornare ai suoi doveri di madre.

Ferruccio sembrava non avere fretta né sonno. Arrivato sotto casa, le disse che gli avrebbe fatto piacere rivederla.

«Non so se posso.»

«Dipende da te. Se ti andasse, come facciamo?»

Angela ci pensò. Era il primo treno che passava dopo aver perso quello della sua vita senza aver potuto nemmeno provare a prenderlo.

«Puoi lasciare un messaggio da Jure, al bar Stella. È una specie di casella di posta della mia famiglia e se ricapiti da queste parti magari ci rivediamo.»

Non era convinta ma non sapeva cosa dire.

Guardò la finestra della cucina ed era buio. I suoi genitori stavano dormendo. Anche le finestre delle camere di sopra erano quiete. Angela salutò Ferruccio, salì le scale esterne ed entrò nel piccolo ingressino. Prima c'era la stanza dei gemelli, poi quella di Riccardo con Primo, poi la sua, dove aveva lasciato sua figlia con Coccolo. Sperava che il gemello non si fosse addormentato, perché era sempre una gran fatica svegliarlo.

Quando aprì la porta, non trovò lui, ma suo padre. Con la treccia in testa. Il Pipan la guardò così sconsolato da non riuscire ad arrabbiarsi.

«Ascoltami bene. Sei diventata madre. Io ti ho difeso sempre, sono andato contro tutti... perché tu sei mia figlia, la mia unica figlia femmina. E tu, cosa fai? Vai a ballare con Riccardo e lasci una neonata nelle mani di un ragazzino con la parrucca di Brigitte Bardot?»

«Papà, è Monica Vitti.»

«Chiunque sia, ma sei scema?»

Angela non sapeva cosa dire. Più che mortificata, non capiva cosa fosse successo. Emma sembrava dormire da cent'anni, e Angela non poteva immaginare che la piccola, appena si era accorta che la mamma era sparita, aveva iniziato a strillare con tutte le forze. A nulla erano valsi gli sforzi di Coccolo e il ciuccio. E quando il nonno aveva bussato ripetutamente alla porta, si era trovato davanti un figlio con una parrucca in testa.

«E Riccardo dov'è?»

«È ancora a ballare. Io invece sono rientrata.»

«Lasciatelo dire, figlia mia.»

«Cosa?»

«Sei una disgraziata.»

6

Dopo i primi mesi, Emma aveva intuito che sua madre la preferiva quando dormiva e – nel suo piccolo – cercava di non disturbarla. Adorava i nonni, aveva un debole per lo zio Riccardo e per uno dei gemelli, il Coccolo, che ogni tanto si metteva in testa la parrucca. Scrutava invece continuamente Angela come a chiederle: "Sono veramente tua figlia?".

Ogni tanto lei la guardava e le diceva: «Ah, se tu fossi stata un maschio...».

«Non puoi essere triste se sei mamma» le ripeteva Nerina. «Noi possiamo darti una mano, ma dipende tutto da te.»

Poi San Giusto non era proprio un quartiere che rendeva agevoli gli spostamenti con la carrozzina, essendo fatto di scale, saliscendi e curve. Ma dopo quel giorno in cui era tornata a casa e aveva trovato suo padre ad attenderla con la parrucca in testa, aveva deciso di darsi una calmata. Ogni tanto però qualcuno per strada le ripeteva «che brava che la tiri su da sola», e questa cosa acuiva il suo dolore.

Arrivò l'estate, e tutti iniziavano ad andare al mare o "al bagno", come si diceva in città. La zona di Barcola era un brulicare di persone in cerca di sole e di sguardi, canzoni e gelati. Il cielo blu, i tramonti arancio sul lungomare. E poi il nero dell'abbronzatura, sacra per tutti così come la forma fisica: era la stagione della vanità, e quella in cui Angela soffriva di più. Vedeva i suoi fratelli tornare dal porto, mettersi il costume e correre ognuno nel proprio posto: Primo andava al Pedocin per rispettare il volere di suo padre, Riccardo all'Ausonia e i gemelli correvano a tuffarsi dai cosiddetti "Topolini", le famose terrazze lungomare. E lei rimaneva a casa.

Una mattina, mentre si barcamenava con la carrozzina sulle scale di Santa Maria Maggiore, Angela sentì qualcuno che le chiedeva: «Posso vederla?».

Era lui. Avrebbe riconosciuto la sua voce tra mille, con quelle vocali lievemente aspirate che – alle sue orecchie – lo rendevano ancora più esotico.

Alzò la testa e Pasquale era proprio davanti a lei. Per un attimo ebbe paura di esserselo solo immaginato, invece lui la guardava sorridente. Angela vide riaprirsi la partita che pensava di aver perso per sempre.

«Che ci fai qui?»

«Volevo salutarti. Ti ho sempre pensato in questi mesi ma non ho avuto il coraggio di farmi vivo.»

Angela deglutì, nuovamente fiduciosa che il suo sogno si potesse realizzare. Cercò di non farsi prendere dalla fretta, perché le aveva sempre fatto commettere molti errori.

«Quindi sei venuto per dirmi qualcosa.»

«Eh sì, e ci tenevo a dirtelo di persona...»

Lui cercava di prendere tempo, lei ripassava nella testa tutte le frasi d'amore che Pasquale le aveva detto.

«Sai, Angela, me ne torno in Calabria e volevo che tu lo sapessi. Mia moglie ha raccontato questa storia ai suoi familiari, che sono venuti su... mio suocero me ne ha dette di tutti i colori, e aveva ragione. Così hanno pensato che sia meglio che ce ne torniamo a Santa Severina per sistemare le cose. Anche se continuo a tenere il banco dei jeans qui con mio cugino.»

Angela rimase muta di fronte a quella delusione. Ancora una volta, si era illusa che qualcosa potesse cambiare. Era convinta che la lontananza tra loro due, alla fine, l'avrebbe fatto ritornare per sempre da lei.

Pasquale la fissava aspettando che lei dicesse qualcosa, mentre Angela teneva solo le mani sulla carrozzina, l'unica arma che in quel momento aveva a disposizione. Si chiedeva solo perché lui non la lasciasse stare. La piccola Emma, come se avesse intuito che era la sua ultima possibilità di vedere la faccia di suo padre, emise un vagito.

Pasquale guardò un attimo quella giovane madre senza più parole – solo una smorfia per non piangere –, si chinò sulla carrozzina e osservò la prima vittima di questa storia: gli occhi spalancati, la faccia più bella che una bimba potesse mostrare. A lui sembrò il ritratto della gioia: nessuno sa disarmarti più di un bambino che sorride.

«Posso prenderla in braccio?»

Angela non sapeva come comportarsi. Era stata colta di sorpresa e avrebbe voluto fare una scenata, prenderlo a male parole, invece riuscì solo a sembrare appena arrabbiata.

«Puoi, ma sarà l'ultima volta che la vedi.»

Faceva la dura perché lo aveva visto nei film, ma non era molto convincente.

«Guarda che le cose magari si aggiustano. Ora cominciamo così, poi...»

«Poi cosa? Visto che parti con tua moglie! Sei venuto a vederla solo per vantarti con i tuoi amici del bar.»

Pasquale si fermò. Angela sembrava maturata di colpo, e lui era rimasto il solito latin lover impenitente. Ma voleva vedere quella bambina, la sentiva anche sua, per cui spostò la copertina e la prese in braccio. Era una piuma che pesava come un macigno. Per un attimo pensò che sarebbe stato bello portarle a Santa Severina, farle entrare nel castello, e poi andare a cena alla Locanda del Re.

«Come sei piccola... vieni qui...»

Angela vide quell'uomo con Emma tra le braccia e notò che la teneva con molta più disinvoltura di lei. «Andiamocene via io e te» provò a dirgli sottovoce – quasi leggendogli nel pensiero – ma lui non sentì.

«Eh?» le rispose, e lei aggiunse solo: «Niente».

In fondo, conosceva la verità.

«Sai già che lavoro farai in Calabria?»

«Apriamo un supermercato di jeans. Non solo Rifle ma anche Levi's e Roy Rogers. Saremo i primi, come siamo stati qui. Poi magari, se torno a Trieste, ti vengo a trovare.»

Angela si sentiva presa in giro.

«No. Io non voglio vederti mai più. Tu non c'entri più niente con noi.»

Pasquale incassò la risposta e rimise Emma nella carrozzina. Fu una strana forma di liberazione. La piccola aveva chiuso gli occhi come se non volesse né vedere né sentire quell'addio.

«Mi spiace, Angela. Sono stato un ingenuo.»

«Io sono stata un'ingenua a crederti. Quante balle mi hai raccontato quando venivi in pasticceria. Sei stato bravissimo a illudermi e a lasciarmi questo regalo. Ora, ti prego, sparisci.»

Per una volta Angela non ebbe paura di dire cosa pensava veramente. Aveva perso, era evidente, e non voleva essere consolata. Pasquale diede un'ultima carezza a Emma, soffermandosi sul nasino, si voltò e scese lentamente i gradini della chiesa. Aveva gli occhi lucidi, ma non pianse. Si sentiva un inetto. Il cielo era sempre più splendente e il mare luccicava tra le vie.

Quando Angela quella sera vide i suoi fratelli tornare a casa in costume e litigare per la doccia, pensò che per lei quella bambina non era stata proprio una benedizione. Per una settimana non spiaccicò parola con nessuno.

Per fuggire da quella disperazione, passava ore davanti allo specchio a truccarsi e vestirsi, a provare la parrucca per fare la scema. Era il suo modo di esorcizzare il presente e immaginare una vita diversa.

Quando un pomeriggio Nerina entrò in camera e vide che Angela stava provando a sparare contro lo specchio con la sua treccia in testa, le disse: «Visto che è così difficile per te accettare questa situazione, se vuoi andare a ballare con tuo fratello stasera vai pure. Alla bambina ci pensiamo noi. Senza che facciate troppo tardi, però. Va bene?».

Angela si tolse velocemente la parrucca e fu tentata di abbracciare sua madre, ma si trattenne. Quella notte al Dancing c'era la serata mambo rock triestino, uno dei suoi balli preferiti.

Prima di lasciarli andare, il Pipan raccomandò a Riccardo di non mollare sua sorella da sola: «Ma certo papà, figurati».

«Figurati un corno, vi conosco. E ricordate cosa diceva sempre Maria Teresa d'Austria: fate i bravi, e se non ci riuscite... state attenti.»

I due annuirono cercando di essere convincenti. Appena arrivati in sala da ballo, ovviamente si separarono. Riccardo incontrò una nuotatrice che si allenava all'Ausonia e sua sorella rivide inaspettatamente Ferruccio. Lo trovò più bello e curato dell'ultima volta.

«È un po' che non ti vedo, bellezza.»

«Lo so. I miei non mi hanno più fatto uscire... ma sai, con una bambina.»

«Adesso però non c'è. Ci sei tu, ci sono io... e c'è il mambo... dài, vieni con me... proviamo.»

«Ma... ora?»

«Ora o mai più.»

Angela si ritrovò di nuovo in pista, a ballare con un semisconosciuto che la fissava e la faceva girare come una trottola. Era goffo ma la faceva ridere, e in quel momento ne aveva bisogno. Era bastata un po' di musica per ridarle allegria. Pensò che la vita non era così male. Forse poteva ancora concedersi un po' di svago, anche se non era del tutto convinta che lui fosse la persona giusta. Ormai stava ballando, e quando il mondo ti gira intorno ti sembra un po' meno brutto.

Ferruccio provò a baciarla e lei lo lasciò fare, noncurante del resto. Non le importava più di nulla, e nessuno l'avrebbe giudicata per questo, quindi tanto valeva provare ad avere una nuova emozione, e pazienza se non aveva la stessa bocca di Pasquale, lo stesso profumo, lo stesso modo di farti viaggiare anche stando immobile. Subito dopo lui le offrì un liquore e quel lieve giramento di testa provocato dall'alcol le fece sembrare la serata quasi divertente.

«Perché non vieni da me stasera? Stiamo un po' insieme, ho un appartamento in centro. E non ci vede nessuno.»

«Ma io devo avvisare mio fratello.»

«Ormai ti conosce, siete due casinari. Se ce ne andiamo ora non facciamo neanche tardi e poi ti riaccompagno a casa. Che dici?»

In pista regnava un clima goliardico e tutti sembravano divertirsi. Angela rifletté un minuto e un pensiero si fece prepotente nella sua mente: doveva andare. Lui provava a convincerla facendo delle facce buffe, che non riuscivano a farla ridere del tutto. Decise comunque di accettare l'invito, tanto ormai "disonorata sono", pensava rivedendo il film che tanto amava.

La casa di Ferruccio in realtà era una camera piena di muffa, ma il letto era rifatto da poco e la luce fioca. Appena entrati, lui riprese a baciarla e lei, dopo una timida opposizione, ricambiò con passione. O meglio, ci mise dentro tutta la passione che le era rimasta. Voleva dimenticare. Voleva ripartire. Voleva essere un'altra persona. Non aveva più incontrato nessuno in quei mesi di reclusione, ma Ferruccio la metteva a suo agio e lei aveva bisogno di essere rassicurata.

Fecero l'amore e un po' di rumore, perché il letto cigolava, ma Angela sentiva la necessità di una scossa. Nulla però riusciva ad accenderla come il ricordo di Pasquale, per cui chiuse gli occhi immaginandosi sempre lui, e solo così riuscì quasi a provare piacere.

Quando Ferruccio le disse sotto casa che gli sarebbe piaciuto frequentarla di nuovo, lei gli ribadì che aveva una bambina da accudire.

«Però vedo che ti fanno uscire...»

«Sì, siamo in tanti e per ora c'è chi può occuparsene.»

«Be', quindi ci potremmo vedere, se ti fa piacere. E una volta vorrei portarti a Bassano.»

Era un'altra possibilità di evadere da una situazione che le pesava ogni giorno di più.

«Mi piacerebbe vedere Bassano... non sono mai stata in Veneto.»

«Allora sono sicuro che ti piacerà, e lì non ci conoscono. Potremo essere veramente liberi.»

Fu quella parola che la colpì. Visto che non poteva essere felice, doveva almeno provare a essere libera. E per ottenerlo, Angela sarebbe stata pronta a fuggire con il primo tipo che passava.

7

Angela trascorse settimane a piangere al mattino, pensando a Pasquale, e a dimenticare alla sera, baciando Ferruccio. Nel mezzo, le poppate di Emma, che era bravissima come sempre. Per cui si faceva spupazzare dagli zii, dai nonni, dai vicini, dai negozianti. Tutti potevano prenderla in braccio e lei a ognuno regalava un sorriso, come se fosse una bambina magica.

Rispetto a Pasquale, Ferruccio era un po' meno in tutto: meno brillante, meno simpatico, meno seducente. Ma era prestante, e soprattutto presente, e a volte basta la vicinanza di una persona per assicurare un po' di pace. Poi sapeva baciare bene – così sopperiva con la tecnica al sentimento – e le faceva sempre mangiare il gelato al pistacchio, di cui era golosa. Un pomeriggio la portò alla drogheria in piazza San Giovanni e dopo aver fatto mille domande alla signora del negozio, le regalò spugne di ogni foggia per la sua pelle delicata: «tu sei la sirena di Trieste» le disse all'uscita, e lei apprezzò comunque lo sforzo. La viziava per compensare i momenti in cui gli sembrava troppo apatica.

«Allora che ne dici di venire per un po' a Bassano?» le chiedeva continuamente, e lei andava in crisi.

Staccarsi dalla sua città le sembrava impensabile. Le spiaceva lasciare San Giusto, quelle discese ripide che ti riservano sempre, all'improvviso, uno specchio d'acqua: l'acqua era il suo elemento. E poi la luce del cielo quando tira bora chiara, che spazza via tutto tranne la malinconia.

Una sera provò a dire a sua madre che stava frequentando un altro ragazzo. «È sposato anche lui?» le chiese Nerina, e lei si sentì terribilmente incompresa.

Per fortuna il Pipan intervenne: «Le cose più importanti di un uomo sono tre: non deve essere più basso di te, non deve avere debiti e, soprattutto, non deve puzzare».

«Sono le regole degli austriaci?»

«Macché. Me lo disse tua madre quando mi conobbe, vero Nerina?»

Lei guardò il Pipan sorpresa. Se n'era completamente dimenticata.

«E se fosse friulano?»

Angela amava provocare.

«Se fosse friulano, meglio: gli facciamo sempre pagare da bere che sono pieni di soldi!»

Rassicurata dai suoi genitori, Angela iniziò a frequentare Ferruccio. Non era convinta, ma se lo faceva andare bene. Lui continuava a commerciare oro, ma era alla ricerca di un lavoro più stabile.

Angela incarnava il suo ideale di ragazza: bionda, disinvolta e del Nord. A lui piacevano quelle del Nord perché a letto si lasciavano andare mentre quelle del Sud avevano sempre paura di essere scoperte. Ma la verità è che si era innamorato, e il fatto che Angela fosse sfuggente aumentava l'attrazione.

Aveva comunque pensato di stabilirsi a Bassano del Grappa senza la certezza che Angela potesse seguirlo. Sentiva che se l'avesse sempre assecondata, una così, lo avrebbe fatto soffrire. Quindi decise di rischiare, a costo di perdere tutto.

A Bassano prese una casa nel centro storico, ma sognava di acquistare un rustico fuori città. «Per evadere dalla realtà a volte bastano tre chilometri» diceva. E lei gli credeva.

Angela credeva a tutto, pur di fuggire dalle sue responsabilità. E lentamente iniziò a insinuarsi nella sua mente l'idea di trasferirsi per un po' in Veneto, giusto per cambiare aria e sentire se là il gelato al pistacchio era buono come a Trieste. Amava Emma, ma un figlio non rientrava nel suo ordine di cose. E ora che ne aveva una di fianco al letto che le scombinava i piani ogni giorno, lei avrebbe voluto poter tornare indietro. Visto che indietro non si poteva tornare, tanto valeva fuggire.

Così, un venerdì Ferruccio propose ad Angela di trascorrere un fine settimana a Bassano.

«Ma io non posso, è lontano e ho la bambina. Il sabato di solito vado a dare una mano in pasticceria.»

«Anche a Bassano puoi venire in pasticceria. Ma a mangiare le meringhe.»

«E cosa dico ai miei?»

«Non glielo devi chiedere. Hai quasi vent'anni. Se lo chiedi non ti lasceranno mai.»

«Mio fratello Riccardo sì, mi lascerebbe.»

«Si vede da come ballate.»

«Cioè?»

«Sembrate due amanti. Tutti che vi cascano ai piedi.»

Sentirselo dire rese Angela per un attimo vanitosa. In fondo, non aveva alcuna consapevolezza del suo fascino. Era convinta di essere solo un'inguaribile sognatrice.

«Allora che vuoi fare? Stare ancora qui a guardare gli altri ballare o vieni con me?»

Angela si toccò la pancia e – per quanto non fosse ancora in forma perfetta – si sentiva già bene. Aveva una casa piena di persone che si sarebbero potute occupare di Emma quel fine settimana. E poi ormai il suo latte iniziava a scarseggiare, per cui anche sua madre sarebbe stata in grado di provvedere alla piccola.

Ferruccio la guardava con quel misto di strafottenza e divertimento, sperando che avrebbe ceduto.

«Okay, dài. Vengo ad assaggiare le meringhe. Devo solo avvisare Riccardo... mi accompagni?»

«Volentieri, ma partiamo adesso.»

«Adesso?»

«Sì. Così non c'è traffico, non ci ripensi e domani ci rilassiamo.»

Ferruccio mise in moto la sua Prinz e si addentrò nei vicoli intorno alla cattedrale. Era difficile muoversi in quel labirinto, ma la casa di Angela era proprio all'angolo con via San Cipriano. Accostò come poté, mentre lei si preoccupò solo che le luci al piano terra fossero spente. I suoi dormivano, mentre la bambina quella sera era in camera con il Coccolo, che riposava senza parrucca. Emma stava immobile nella culla. Angela entrò in camera di Primo e Riccardo, che era crollato a letto vestito.

«Ehi, Riccardo! Riccardo!!!» gli disse piano per non svegliare Primo. Aveva le braccia forti per il suo lavoro, ma il suo sonno era altrettanto pesante. Iniziò così a pizzicarlo, fino a che lui si riprese.

«Oh, che c'è? Chi è?»

«Shhh... sono io, Angela.»

«Che succede? Che ore sono?»

«È l'una. Sto partendo.»

«Dove vai?»

«A Bassano con Ferruccio.»

«E la bambina?»

«La bambina io non lo so. Ma non credo che le faccia bene questo viaggio. E poi sta dormendo.»

«Quindi la lasci qui? Se Primo lo scopre ora succede un casino.»

«Allora shhh.»

Riccardo capì la gravità della situazione e lentamente uscì dalla stanza.

«Io non ce la faccio più, Riccardo. Soffro troppo. Non ho neanche vent'anni e mi sento prigioniera. Sono un'incosciente, è vero, ma devo andare via qualche giorno altrimenti impazzisco. Tu mi aiuterai?»

«Io ti aiuterò sempre. Ma hai una figlia.»

«Lo so. Ma io ora ho bisogno di andare. Se sto qui la rendo infelice. I bambini sentono tutto. Tu però dai una mano a mamma, eh. Se non fossi mio fratello saresti stato l'uomo giusto per me.»

Riccardo provò a sorriderle e non trovò altre parole per convincerla. La disapprovava ma in fondo la capiva. Guardò l'orologio appeso nel corridoio, si sarebbe dovuto alzare qualche ora dopo per andare al porto.

Osservò sua sorella scegliere i vestiti da portare, mentre li metteva in fretta dentro una valigia in finta pelle. La parrucca la lasciò, come se ormai non avesse più bisogno di mentire. Pasquale non esisteva più. Nessuno esisteva più.

Quando Angela fu sulla porta, Emma emise un vagito. Si era svegliata. Lei restò un attimo immobile, pensando che fosse un falso allarme. Invece la piccola aveva deciso di piangere. Più che per protesta, aveva fame.

Angela la tolse dalla culla, la prese in braccio e le diede un'ultima poppata. Era parte di sé ma si sforzò di non pensarci. Appena si riaddormentò, la rimise nel lettino e le disse piano: «Torno presto».

Fece una carezza al Coccolo, che dormiva profondamente, e lanciò un bacio a Riccardo cercando di fare meno rumore possibile. Dalla strada arrivava il rumore del motore acceso della Prinz. Angela chiuse la porta, e ritrasse indietro una lacrima che suo fratello non colse. Aveva deciso di partire, e in fondo sapeva che non sarebbe tornata. Anche Riccardo scoppiò a piangere, e le sue lacrime stridevano con i suoi muscoli.

Emma dormiva e sognava. Forse aveva capito che era meglio aspettare un po' prima di tornare alla realtà.

II

8

Angela era arrivata a Bassano del Grappa per un fine settimana. Poi aveva deciso di fermarsi qualche giorno.

Qualche giorno era diventato una settimana.

La settimana si trasformò in un mese.

Il mese in un anno.

Fino a che gli anni trascorsi divennero sei.

In qualche modo, Bassano l'aveva salvata. Lì Angela non conosceva nessuno e per lei era stata come una rinascita. Trieste era soprattutto cielo e mare e chiaroscuri, mentre Bassano era fiume e colline e acquerelli con il cielo quasi sempre insicuro.

Lei e Ferruccio vivevano al Terraglio, in una casetta piena di scale che ad Angela ricordava quella di San Giusto, solo che dal balconcino sul tetto lei vedeva il Brenta e il monte Grappa, e non il campanile della chiesa. E soprattutto, aveva sempre il Ponte Vecchio sotto il naso. Quella era la sua unica via di fuga, il punto in cui Angela si fermava ogni giorno a riguardare il passato sperando che arrivasse il futuro. Da quel ponte ripensava a Pasquale e a Emma, sognando un giorno di vederli tornare insieme tenendosi per mano.

In quel periodo, Angela si sforzò di diventare una vera bassanese. Andava regolarmente a messa, vestiva in modo curato, amava i *bigoi co l'anara*, e non si tirava mai indietro davanti a un buon bicchiere di vino.

Trovò un lavoro part time come commessa alla Bottega del Baccalà. Le piaceva fare un giro per le piazze la mattina prima di cominciare, quando fuori dal centro le strade brulicavano di vita per l'inizio delle scuole, mentre dentro alle mura non c'era quasi nessuno. La città sembrava deserta e sembrava in qualche modo appartenerle. In quel silenzio, si dissolvevano i suoi pensieri. Lavorava solo al mattino, vendeva sardine e aringhe, e grazie alla sua sensualità si ritrovò circondata da mariti che di colpo volevano andare a fare la spesa. Con le donne faceva più fatica, ma aveva imparato dal suo titolare a convincerle pronunciando un *ciò* bello squillante sulla qualità delle merci. *Ciò* era il suo passaporto per vivere serena a Bassano.

Ferruccio invece aveva abbandonato il mercato dei gioielli e aveva aperto un'osteria, che gli garantiva un giusto guadagno senza troppi rischi, anche se faceva sempre tardi la sera. Quando poteva, continuava a portare Angela a mangiare il gelato al pistacchio, anche se era felice di averle fatto scoprire le meringhe. Le gustavano tutte le settimane da Fiorese, e le mangiavano in piedi, per strada, come due innamorati. Erano momenti in cui non avevano mai troppo da dirsi, ma i dolci sopperivano a quella mancanza. Ferruccio nemmeno le riferiva tutte le volte in cui i suoi fratelli telefonavano a casa per convincerla a tornare.

Angela, nel frattempo, aveva perso l'affidamento della figlia.

Dopo un anno dalla sua partenza per Bassano, Nerina, fortemente suggestionata dalla fidanzata di Primo, che odiava Angela da sempre, si era rivolta al tribunale dei minori, per veder sancire la grave inadempienza dell'unico genitore riconosciuto della bambina, e ottenere l'affidamento ai nonni. Il Pipan, per una volta, aveva lasciato che a decidere fossero le donne: «tanto fate sempre come vi pare» aveva chiosato.

Era stato Riccardo a doverlo dire a Angela, che aveva reagito con uno strano sollievo: quella notizia l'aveva liberata dal suo peso sulla coscienza.

«Non ho più mia figlia» aveva detto a Ferruccio, e lui – anziché abbracciarla o chiederle spiegazioni – le aveva risposto: «Allora, se dobbiamo ricominciare da capo, è meglio se ci sposiamo».

E lei aveva risposto sì.

Il matrimonio venne celebrato il primo giorno di primavera, tra ciliegi in fiore e prati colorati di verde e di giallo. Scelsero la chiesetta di San Donato, perché piccola e accogliente, ma ancora troppo grande per loro. Erano praticamente senza invitati, solo un testimone a testa e qualche amico di lui. Angela aveva scelto l'unica persona che aveva conosciuto e di cui si fidava: Gilda. Una padovana trapiantata a Bassano, che le piaceva perché non le faceva nessuna domanda sul suo passato. Sapeva solo che veniva da Trieste, ma sentiva che Angela non voleva parlarne. Per cui faceva finta che quella sua amica non avesse vecchi aneddoti da raccontare o fotografie da mostrare.

Si erano incontrate al mercato, una mattina in cui Angela faceva la spesa e Gilda girava tra i banchi con i lacrimoni che le rigavano il viso che non aveva la forza di asciugare. Le lacrime dell'amore perduto sono uguali in tutte le storie, e Angela le conosceva bene. Così le si era avvicinata e le aveva detto solo «passerà».

Quella parola, pronunciata in un momento tanto delicato, mentre tutti la guardavano facendo finta di niente, aveva colpito Gilda profondamente. E visto che aveva già notato Angela alla Bottega del Baccalà, il giorno dopo andò lì a fare la spesa. Voleva ringraziarla, ma c'era altra gente in coda dietro di lei. Così, come se fossero amiche da una vita, le disse: «Quando stacchi, ti va se ci facciamo un giro insieme?».

E Angela, che da quando era arrivata lì era uscita solo con Ferruccio, aveva accettato. Da allora erano diventate le amiche del mercoledì, il giorno in cui giocavano a bridge al circolo in via Jacopo da Ponte. Le signore erano un po' gelose che i mariti ammirassero le due forestiere, ma loro non ci badavano. Angela rimaneva sempre stupita di quanto anche le coppie più posate arrivassero a litigare per il gioco, mentre lei e Gilda si piazzavano quasi sempre bene e non discutevano mai, neppure quando una delle due sbagliava una licita. Tornavano sempre a casa soddisfatte anche se impuzzolite dal fumo di sigaretta.

Qualche pomeriggio d'estate, quando il tempo era bello, salivano sul monte Grappa a Val dea Giara a prendere il sole con gli specchi: Angela non aveva perso il suo amore per la tintarella e aveva contagiato anche la sua amica, che puntualmente si ustionava.

Per molto tempo, Gilda non fece mai domande personali ad Angela ma una sera da Nardini, complice un "mezzo e mezzo" di troppo, prese coraggio: «Tu mi devi dire cosa mi nascondi».

«In che senso?»

«Ci conosciamo da anni. Tu sai tutto di me, ma di te non hai mai raccontato niente.»

«Non è vero. Tu mi conosci meglio di Ferruccio.»

Gilda prese le mani della sua amica e le appoggiò sulle sue, mentre i vicini di tavolo le guardavano con diffidenza.

«Tu mi hai detto tante cose: che sei venuta a Bassano per amore, che ami il gelato al pistacchio, che avresti voluto essere Monica Vitti, che ti piacerebbe avere un cane e che non ami troppo i bambini.»

«Visto che mi conosci bene?»

«Invece no. Non ti conosco per niente. Ogni tanto ti vedevo da sola sul muretto del Terraglio a guardare il Brenta, immobile, pensavo ti volessi buttare... Non mi sono mai avvicinata come invece hai fatto tu quando mi hai visto in lacrime al mercato. Ma sento che hai qualcosa che non mi vuoi dire.»

«Ti sbagli.»

Gilda non voleva mollare.

«Ormai ti conosco. A sentire te, va sempre tutto benissimo: il lavoro va bene, con Ferruccio va bene, il passato non è un problema, il futuro non esiste. Per te gira tutto alla grande. Ma sei infelice.»

Angela non riuscì più a contraddire quell'amica strana, incredibilmente attenta, che era sempre stata al suo posto, e una sera, complice il leggendario cocktail di Bassano, stava provando a tirare fuori la verità.

Malgrado l'affondo coraggioso, quando si smorzò l'effetto del "mezzo e mezzo", Gilda smise di fare domande e le due amiche uscirono dal locale continuando a parlare del nulla, spettegolando su come erano vestite le signore che passavano o guardando i militari in libera uscita.

Gilda era una ragazza che amava la libertà e se la concedeva più di Angela. Quella sera la convinse ad andare con lei a una festa a Castelfranco Veneto. Era una serata in un locale un po' alla buona con musica dal vivo, ma loro non cercavano marito per cui si divertirono a ballare con tutti.

Erano anni che Angela non metteva piede su una pista da ballo. Quando la cantante iniziò a intonare *Come on let's twist again*, Angela si ritrovò a fare un viaggio nel tempo che sembrò di colpo inarrestabile. E allora, all'improvviso, le lacrime iniziarono a scorrerle sul viso, come era capitato alla sua amica anni prima. E così, mentre tutti ballavano cantando in inglese maccheronico, Angela si lasciò tirare in pista con gli occhi ancora lucidi e il ritmo che iniziava a farle muovere il corpo come ai vecchi tempi.

Era tornata la ragazza che crede nei sogni. Gilda se ne accorse e si sentì rassicurata.

«Scusa per prima... non volevo essere invadente.»

«Ma no, figurati. In fondo avevi ragione.»

«In che senso?»

«Sul fatto che io ti nascondessi qualcosa.»

«Quindi è vero.»

«Sì.»

In quel momento la canzone finì, e il pubblico in sala occupò il silenzio con un brusio scomposto. Nessuno sembrava badare a loro, per cui Angela continuò.

«Ho una figlia di sei anni.»

«Una figlia... tua?»

«Sì. L'ho avuta da un uomo che ho amato alla follia, e che appena ha saputo che era femmina se l'è data a gambe.»

Gilda non ci poteva credere. Guardava la sua amica a bocca aperta, senza decidere se abbracciarla o farle altre domande. Cercò di stare calma, perché voleva sapere di più.

«E tu da quanto tempo non la vedi?»

«Me ne sono andata via qualche mese dopo che è nata. Ormai si è abituata a crescere con i miei genitori e i miei quattro fratelli.»

La musica riprese con *Twist and Shout* ma Gilda invitò la sua amica a sedersi. Si avvicinò al suo orecchio e le disse: «Non ci si abitua mai all'assenza della madre. Quindi, anche se non lo sai, la tua bambina ti sta aspettando da allora. Devi andare a vederla».

«Ma è passato troppo tempo.»

«Il tempo non è mai troppo. Devi solo trovare il modo di affrontarla.»

Angela si sentì rincuorata e – per una volta – capita. Gilda non la stava giudicando ma solo ascoltando.

«Come hai fatto a intuire che ti nascondevo qualcosa?»

«Il passato non si può dimenticare, prima o poi torna. Allora, pensaci. Andrai a trovare tua figlia?»

Angela rifletté un attimo, mentre la cantante provava a intonare i Matia Bazar.

«Non lo so. Per adesso balliamo.»

9

A sei anni, senza esserne consapevole, Emma era entrata in un film tutto suo.

Indossava solo pantaloni. Odiava le Barbie, i trucchi e gli abiti da principessa. Amava i soldatini, le macchinine e Braccio di Ferro. Aveva solo amici maschi, un amore smisurato per il pallone e un sogno proibito che non riusciva a realizzare: fare la pipì in piedi. Ogni volta che ci provava, Nerina doveva stare mezz'ora in bagno a sistemare tutto.

Suo zio Riccardo, un giorno che la vide imbronciata, le chiese cosa volesse per essere contenta: «I capelli corti come i tuoi, la tua tuta del porto e un martello per battere i chiodi».

«E perché?»

«Così divento maschio e mia mamma torna.»

«Cosa vuol dire?»

«L'altro giorno la nonna mi ha detto che la mamma è andata a lavorare fuori perché io sono femmina. Se fossi stata maschio, sarebbe rimasta.»

Riccardo sgranò gli occhi.

«Ti ha detto proprio così?»

«Sì, poi però il nonno ha detto che non era vero e anche la nonna gli dava ragione, ma io credo alla nonna.»

Nonna. Sentendo quella parola, allo zio venne in mente che nel giorno del suo primo compleanno Emma aveva pronunciato proprio quel nome. Subito dopo "nonna" imparò a dire "no". A lungo, "nonna" e "no" sarebbero state le parole più gettonate del suo vocabolario. Poi, con la solita tenacia, il Pipan si mise d'impegno e prima dei due anni la bambina iniziò a dire "Cecco Peppe" indicando il ritratto che occupava l'unica parete libera della cucina. Ora quella bambina era cresciuta, e non ripeteva solo ciò che le dicevano gli adulti, ma rielaborava le informazioni. Lo zio la fissò e – con la sua solita capacità di persuasione – le disse: «La mamma tornerà lo stesso».

«Dici sempre così ma non succede mai.»

Il giorno dopo Riccardo, lasciando ai fratelli tutto il lavoro al porto, prese la macchina e – senza pensarci troppo – si mise alla guida alla volta di Bassano.

Odiava le sorprese ma voleva troppo bene a sua sorella per non provare a convincerla a tornare. Era lui che manteneva vivo il suo ricordo in casa, dando sempre l'impressione che potesse ricomparire da un momento all'altro.

E fu proprio dal famoso ponte che – anziché Pasquale con Emma – spuntò la 124 di Riccardo. Tutte le ragazze lo guardavano, ma lui ne cercava solo una. Iniziò a chiedere ai passanti se conoscevano una certa Angela che lavorava in un negozio lì in centro di cui non ricordava il nome. Tutti capirono all'istante di chi parlasse, e lui ebbe la prova che sua sorella non era cambiata: continuava ad attirare l'attenzione di tutti.

Riccardo arrivò al negozio abbastanza stanco, e la ritrovò in mezzo ai baccalà essiccati, più bella di come l'aveva lasciata. La guardò da fuori, e fece fatica a trattenersi dall'entrare e stritolarla di abbracci. La osservò mentre serviva i clienti: gli occhi straniti, l'aria concentrata ma le mani veloci a fare i pacchetti, a pesare il pesce e a chiedere «*cossa ghetu magnà ieri sera?*». Sotto il grembiule, indossava una camicetta di pizzo con le spalline imbottite e un bottone aperto che faceva intravedere l'attaccatura del seno.

Riccardo sentì una strana tensione, quasi avesse paura che sua sorella non lo riconoscesse più. Appena entrò, ogni dubbio svanì.

Bastò incrociare lo sguardo di Angela perché tutto quel tempo si dissolvesse in un istante.

«Riccardo.»

«Angela...»

«Che ci fai qui? È successo qualcosa?»

«Sono anni che aspetto che tu torni da un weekend a Bassano. Forse ti sei persa.»

Riccardo allargò le braccia, Angela si allontanò dal bancone e si arrese a quel fratello che c'era sempre, e sempre ci sarebbe stato.

«Come sei bello» gli ripeteva, e lo toccava per sentire che era proprio lui. «Poi Riccardo devi sapere che io ti penso... vi penso tutti. Mi affaccio alla finestra alla sera e vi penso.»

«Ma allora perché non ti sei più fatta vedere?»

Angela ci pensò un attimo.

«Mi vergogno. Non ero pronta a fare la madre da sola. E ormai mi avete tolto la potestà.»

«Lo so, ma non c'entrano i nostri genitori, e poi non è importante. Sono venuto a dirti che la bambina ha qualche problema.»

Angela si svegliò di colpo dal suo torpore, e le tornarono in mente le parole della sua amica Gilda.

«Sta male?»

«No... ma vuole diventare un maschio. Il che non sarebbe così grave, ma lei lo fa solo per te: le hanno detto che te ne sei andata perché è nata femmina, e lei adesso è convinta che se si comporta così tu tornerai.»

Angela si tolse il grembiule, andò nel retro a dire due parole al titolare, prese suo fratello sotto braccio e uscì. Tutti, per strada, li guardavano come se fossero amanti, ma lei se ne fregava e sorrideva. Pensava di averlo dimenticato, invece era come se si fossero appena salutati. Si sedettero sul muretto davanti al Brenta come due fidanzati.

«Ma io non posso tornare. Ci ho messo anni per ripartire da zero.»

«E ci sei riuscita?»

«Piango ancora a volte, ma ci sono dei giorni in cui mi dimentico tutto. Mi sono fatta una buona amica.»

«È carina?»

«Sì, ma guai a te se la tocchi. Ha già sofferto abbastanza.»

Riccardo sorrise e gli sembrò di essere ancora all'Ausonia con lei, quando ogni tanto la portava con sé e si mettevano a prendere il sole in terrazza.

«Senti, non sono venuto per rimorchiare ma per riportarti a casa.»

«Ma sono passati sei anni. E non so se me la sento di vedere Emma... cioè, io vorrei... ma chissà poi lei... Come va la scuola?»

«Bene, fa le elementari.»

«Chissà che carina. Sinceramente io non so che reazione avrò a vederla.»

«Avrai una reazione bellissima. E se davvero non vuoi rovinare solo la tua vita, ma anche la sua, devi mettere da parte tutto... il tuo orgoglio, le tue ferite... e devi venire con me.»

«Ma io adesso ho un marito e un lavoro.»

«Non mi hai neanche invitato al matrimonio.»

«Non ho invitato nessuno. Non ero troppo convinta.»

«E adesso lo sei?»

«Ma sì, dài. Vivo alla giornata e lui è una brava persona.»

«Però ora sentimi bene: tua figlia ha bisogno di te. Deve solo vedere che esisti. Poi puoi tornare qui a fare la mogliettina felice. Te la senti?»

Angela ci pensò. Prese un bloc-notes e scrisse un breve messaggio a Ferruccio. Sapeva che prima o dopo quel giorno sarebbe arrivato. Era giunto il momento di rivedere Emma, anche per scoprire ciò che Pasquale le aveva lasciato.

10

Tornare a Trieste dopo anni fu per Angela un vero corto circuito.

Tutto era uguale e tutto era diverso. Era la fine di settembre, non c'era vento, non c'erano nuvole, solo cielo e mare, e il mare non invecchia mai. Quanto le era mancato. Lo aveva visto solo d'estate a Jesolo, ma non c'era nulla che le ricordasse i suoi anni felici, a parte il sole. Lei voleva rivedere quel golfo. Era cambiata e non era preparata. Aveva venticinque anni, l'età in cui molte ragazze iniziano a sentirsi donne, ma non lei. Aveva cercato di diventarlo sposando Ferruccio, ma appena era sola tornava a viaggiare con la fantasia.

Prima di portare Angela in via della Bora, Riccardo passò dal bar Stella, come se entrambi dovessero riappropriarsi dei loro luoghi del cuore.

Quando Jure la vide entrare, trasalì. Angela era come Trieste. Diversa e sempre inimitabile. Aveva i capelli un po' più lunghi e un po' più ordinati, ma il suo stile era sempre riconoscibile.

«Ma guarda chi è tornata, la mia *mula* preferita... tutti ti cercano e tu arrivi ora?»

«Mi cercava chi?»

Erano mesi che Jure assaporava il momento in cui le avrebbe dato quella risposta.

«In realtà è passato una volta quel tipo lì... il jeansinaro, ti ricordi?»

Angela si sentì mancare.

«Quando?»

Jure ci pensò un po'.

«Sarà stato sei mesi fa. Ti ha lasciato una lettera, anche se gli ho detto che erano anni che non ti si vedeva più e che ti eri sposata con uno ricco.»

«Perché ricco? Mica è ricco!»

«Lo so, ma faceva più effetto.»

Riccardo faceva cenno a Jure di non consegnarle nulla, ma lui era troppo concentrato a frugare nei cassetti. I clienti cominciavano a diventare impazienti ma se c'era Angela tutti dovevano aspettare. Lei fu di colpo nervosa, impaziente e felice: Pasquale era tornato a cercarla e questo le bastava.

Jure però non riusciva a trovare quella busta e a un certo punto la coda si fece così lunga che dovette smettere. «Prova a passare questo pomeriggio» le disse, e lei ci rimase male.

«Non sei tornata per lui, ma per tua figlia» le ricordò Riccardo, di colpo serio.

Andarono verso casa salendo le scale della chiesa come avevano sempre fatto da ragazzi: incrociandosi in diagonale in una specie di balletto, per poi ritrovarsi in cima. Il fiatone distrasse Angela da quello che stava per succedere. In piazza San Silvestro, in quella discesa che le ricordava la sua adolescenza, lei strinse la mano di suo fratello e gli disse solo: «Ho paura».

Via della Bora era più ripida del solito perché quel giorno non tirava neanche un filo di vento. Il vento era solo dentro il cuore di Angela, che si risentiva di nuovo a casa e avrebbe voluto gridarlo forte, anche se era pervasa da sentimenti contrastanti. Entrò senza neanche bussare per non pensarci troppo.

Nerina, appena la vide, allargò le braccia: una madre quello sa fare, pensò. Dimenticare e accogliere. Così non disse nulla a quella figlia che si era messa nei guai e i guai li aveva poi lasciati ai suoi genitori. Era passato così tanto tempo che anche la rabbia aveva lasciato posto solo alla gioia di rivederla senza nemmeno chiedersi per quanto tempo lei sarebbe rimasta.

Dall'altra stanza comparve la moglie di Primo, che spesso era lì a dare una mano, e il Pipan.

«Allora è vero che sei tornata.»

«Sì papà... è troppo tardi?»

«Tu sei come l'Impero asburgico: non è mai tardi per te. Poi io ti ho sempre detto che quando vuoi tornare, conosci la strada. E la tua camera resterà sempre la tua camera. Anche se adesso ci dorme Emma.»

Quella parola tolse ogni dubbio alla coscienza sporca di Angela. La bambina era stata nominata e quindi esisteva davvero.

«È di sopra?»

«No, è a scuola. Tra poco arriva con il Biondo, oggi tocca a lui... che nel frattempo si è fidanzato.»

La cognata intervenne.

«Va a prenderla o lui o Primo, mentre Riccardo la porta quando può. Più o meno funziona così.»

Angela non sapeva cosa dire, per cui si grattò la testa. Quella casa era sua ma non c'era più posto per lei. Per un attimo, le venne la tentazione di prendere la borsa e uscire, ma Riccardo le diede un pizzicotto e aggiunse: «Vedrai, è uno spettacolo».

Dopo poco la porta si aprì ed entrò Emma. Aveva un grembiule rosa che strideva con i pantaloni militari e una polo verde che la rendevano un po' guerriera. I capelli corti, gli occhi neri, le scarpe da ginnastica consumate dai tiri al pallone.

La parte di sé che Angela aveva cercato di dimenticare era di fronte a lei e di colpo le sembrava estranea, diversa da come l'aveva immaginata, e con l'aspetto troppo mascolino.

«Ciao nonna ciao nonno ciao zio bello ciao zio Coccolo... ciao a tutti...»

Poi guardò Angela negli occhi e si nascose dietro Riccardo. In cucina calò un silenzio surreale. L'unico rumore lo faceva il rubinetto che continuava a gocciolare. Nessuno aveva il coraggio di proferire parola, ma fu Emma a parlare.

«E tu chi sei?»

La domanda, nella sua semplicità, era un capo d'accusa. I nonni cercarono di non emozionarsi, per cui si misero entrambi ad apparecchiare, mentre Angela restò sola con la sua responsabilità. Tutti la stavano guardando quasi a incoraggiarla.

«Io sono la tua mamma.»

Era la prima volta che lo diceva. Riccardo sorrise, prese la mano di Emma e la invitò a staccarsi dalla sua coscia. Angela provò ad allargare le braccia, proprio come aveva appena fatto Nerina, ma era goffa, non sapeva cosa aspettarsi e si sentiva giudicata da tutti i presenti. Non si diventa madre in cinque minuti. Sembrava anestetizzata e le sue emozioni erano così contraddittorie che non riusciva a esprimerle. Venne però freddata da quella bambina che, dopo lo spaesamento iniziale, era diventata padrona della situazione: «Io non ce l'ho la mamma. Io ho solo la nonna».

«Ma sì che ce l'hai... sono io. Perché non dovresti avere la mamma?»

«Perché sono femmina. Se nascevo con il pisellino ce l'avevo. Sai che anche quando c'erano gli austriaci i bambini avevano il pisellino?»

Angela guardò sbalordita suo padre, quasi con rimprovero. Cosa le aveva insegnato? Cosa c'entravano gli austriaci? Ma sapeva che non aveva alcun diritto di lamentarsi. Era invece sorpresa che sua figlia fosse molto spigliata con le parole, mentre lo zio Riccardo provò a sciogliere il ghiaccio. Era l'unico che si comportava come se fosse tutto normale: era da sempre abituato, con le sue vicende amorose, a gestire i momenti di difficoltà.

«Prendi la mamma e falle vedere la tua cameretta... dài, portala su...»

Ma Emma non ce la faceva ad andare da lei. Stava ferma lì, aggrappata alla gamba dello zio a fissarla con gli occhi grandi e l'aria di sfida, fino a che Angela fu costretta ad abbassare la testa. Emma corse allora tra le braccia della nonna, che la prese per mano e le chiese di dare l'altra alla mamma. Dopo qualche titubanza, Emma cedette. Allungò non la mano, ma un dito, l'indice, verso sua madre. Uscirono in strada, fecero le scale esterne e arrivarono nella camera che era stata di Angela, e che adesso era di Emma e dello zio Coccolo.

La stanza era completamente cambiata, era rimasto solo un poster di Jean-Paul Belmondo e una vecchia foto di Monica Vitti. «Dài, fai vedere alla mamma i tuoi giochi...» disse la nonna che non vedeva l'ora di lasciarle sole. Emma non si oppose: era abituata a essere sempre affidata a qualcuno, e non si faceva problemi. Rimaste loro due, Angela si sentì più a suo agio, così cominciò a osservarla e a sorriderle: pazienza se assomigliava a un maschio, era sempre la sua bambina.

«Ma tu veramente sei la mia mamma?»

«Sì.»

«E perché arrivi adesso?»

«Perché ho avuto tanti problemi... e lavoro lontano... lontano...»

«Ma più lontano della Jugo?»

«Molto di più.»

«Allora adesso stai qui?»

Angela non sapeva cosa rispondere. Sbirciò nel corridoio sperando che uno dei suoi fratelli potesse aiutarla in quell'interrogatorio, ma l'avevano lasciata sola.

«Purtroppo devo ripartire.»

«Ma se io divento maschio tu diventi la mia mamma?»

«Io sono già la tua mamma.»

«Però così non vai via.»

Il ragionamento di Emma era ineccepibile. D'altronde, era una storia che conosceva a memoria e che ormai aveva fatto sua. Cominciò a mostrare i suoi giochi e Angela sgranando gli occhi vide solo macchinine, figurine di calciatori e soldatini.

«Ma una bambola non ce l'hai?»

«Con la bambola ci giocano le femmine.»

«Ma tu sei una femmina!»

«A me però non piacciono le bambole...»

Angela si mise le mani nei capelli. Era la prima volta che rivedeva la creatura che aveva messo al mondo, e non la rassicurava per niente. I suoi occhi, poi, erano gli stessi di Pasquale, così come i capelli e la forma della bocca. Non sapeva bene cosa provava. Aveva davanti a sé una persona che riconosceva ma che non conosceva, e questo la destabilizzava.

Emma le porse un soldatino e le disse: «Giochiamo alla guerra?».

E Angela pensò che era proprio sua figlia. Quel gioco rappresentava la sua vita. Così si sedette per terra e fece finta si sparare, di rotolare, di arrendersi, di fare prigionieri. A un certo punto Nerina le chiamò:

«Dài che ho fatto gli *gnochi de pan* che so che ti piacciono tanto.»

«Ma mamma, non c'era bisogno.»

«E cosa ci vuole! Avevo del pane secco, latte e uova non mancano mai... un po' di formaggio. Lo speck me l'ha dato la vicina che lo prende sempre sul Carso...»

Angela non ricordava più che Nerina preparava quel piatto solo se era di buonumore, perché gli *gnochi de pan* le ricordavano che si può essere felici con poco.

A tavola Angela fu al centro dell'attenzione. I fratelli le chiedevano del Veneto come di una terra lontana e lei era tornata la ragazza che avevano sempre conosciuto. Era ancora più magra, i capelli sempre gonfi e la sua pelle di porcellana non mostrava segni di fatica. Solo lo sguardo, ogni tanto, si perdeva negli gnocchi per andarsi a rifugiare chissà dove. Non riusciva a guardare Emma troppo a lungo perché era identica a Pasquale e il fatto che sembrasse un maschietto continuava a turbarla.

Il vino dell'osteria che il Pipan versava nei bicchieri aiutava la conversazione e visti da chi passava da fuori sembravano una famiglia serena.

«Ma se tu sei la mia mamma perché non sei venuta prima?» chiese Emma ad Angela all'improvviso, e lei sconfortata appoggiò la testa sul tavolo.

Furono i gemelli a riportare un po' di allegria, raccontando le loro avventure al porto. Il Biondo iniziò a dire una delle sue solite barzellette: «*Un vecieto entra de corsa in una drogheria de Trieste... el ghe domanda al droghier: scolti lei, la ga qualcosa contro i friulani?*» e mentre il Coccolo lo aiutava a concluderla, il Pipan lo interruppe: «Ma voi ridete ancora con le barzellette sui friulani? Che gioventù bruciata!» e tutti lo guardarono pensando che la presenza di Angela lo avesse mandato fuori di testa. A lei, i suoi fratelli sembravano ormai giovani uomini e non li riconosceva più.

La cognata cercava di prendersi la scena, intervenendo in ogni discorso a sproposito, ma nessuno la considerava. Quando bussarono alla porta, tutti guardarono Riccardo perché era sempre lui che riceveva visite. Un paio di volte, in passato, si erano presentate ragazze in lacrime perché lui non era andato agli appuntamenti ed erano convinte che gli fosse successo qualcosa.

Invece era Jure: «Ho una cosa per Angela» disse sventolando una busta davanti a tutti. Lei si sentì gli occhi del mondo puntati addosso, ma riuscì ad alzarsi facendo finta di nulla. «Era finita in fondo a un cassetto, ma sapevo che l'avrei trovata.»

Angela la prese e la mise via facendo finta di nulla. Quel pezzo di carta era tutto ciò che le restava del suo amore.

«Che cosa ti ha dato?» le chiese la piccola Emma.

«Niente... una lettera di un mio amico.»

«Lo conosco?»

«Lo hai conosciuto quando eri piccola.»

«E ora lo rivedrò?»

In quel momento Angela capì cosa significa essere genitori: avere sempre una risposta pronta.

Jure si rese conto che stranamente non si ricordava più molto di quella vicenda, ma purtroppo doveva rientrare al bar. Uscì velocemente senza accettare nemmeno un bicchiere di vino. Angela lo accompagnò fuori con la scusa di dover salire in camera.

«Jure, ti prego dimmi: com'era Pasquale?»

«Aveva voglia di vederti. Questo mi ricordo.»

«È ancora affascinante?»

«È un *mulo*... non guardo i ragazzi. Ma la mia barista quando è uscito mi ha chiesto chi fosse. Quindi sì, direi che si difende bene. Non illuderti, però.»

«Ho guardato troppi film quando ero ragazza.»
«Sei ancora una ragazza.»
«Sì, ma non guardo più i film d'amore. Io e una mia amica andiamo pazze per i gialli che fanno paura.»
Jure sorrise e si allontanò. Appena fu sola, in camera, Angela non ebbe alternative. Aprì la busta e trovò solo un foglio un po' striminzito:

"Cara Angela, sono tornato qui dopo tanto tempo ed ero convinto di trovarti ancora, ma te ne sei andata. Forse hai fatto bene... in questi anni ho pensato molto a te, a me, a quello che avremmo potuto essere. Ma ho commesso due errori che ancora non mi perdono: ho sbagliato e sono sparito. E un calabrese non si comporta così. Un calabrese affronta sempre la vita a testa alta, e non abbassa lo sguardo davanti alle difficoltà. Non so se potrai perdonarmi, ma se vuoi rivedermi possiamo..."

Il cuore iniziò a batterle forte e mentre girava il foglio si accorse con terrore che il retro era bianco. Mancava una pagina. Ispezionò la busta come se dovesse scoprire tracce di reperti assiro-babilonesi, ma non c'era nulla.
La porta si aprì e comparve Riccardo.
«Allora, cosa vuole?»
«Niente. Pasquale è passato da Trieste non so quando e mi ha lasciato una lettera. Dice che vuole rivedermi. Ma manca un foglio. Secondo te io...»
Riccardo la interruppe.
«Ascoltami bene. Da questo mezzo uomo non hai cavato neanche una lettera dall'inizio alla fine. Ci hai lasciato. Hai abbandonato la tua bambina. Ti sei sposata un altro. Perché continui con questa storia?»
«Perché non è giusto.»
«Io non sono una persona affidabile, ma vedo il mare ogni giorno e te lo posso dire: la vita non è mai giusta. La devi prendere come

il vento, o come i vecchi: li assecondi anche quando non sei d'accordo. È l'unico modo che abbiamo per non naufragare. Ora vai a metterti una giacca e poi ce ne andiamo a cantare da Libero... da quanto tempo non canti?»

«Non me lo ricordo più, ma non ho nessuna voglia di cantare, me ne sto qui con Emma. Perché mia cognata mi odia?»

«Perché è gelosa. Voi donne se non siete gelose l'una dell'altra non siete contente. Tu hai tutto ciò che lei vorrebbe: la bellezza e una figlia. Lei non ti capirà mai.»

«Mamma, ma tu dormi con me stasera?»

La piccola Emma irruppe nella stanza con la sua vocina. Era la prima volta che Angela si sentiva chiamare "mamma".

11

Per tutta la notte, Angela fece un sogno strano, che poi non era così strano: era in osteria da Libero e cantava *El tram de Opicina* in duetto con Riccardo, e tutti li guardavano. Poi entrava Pasquale e prendeva in braccio la bambina. Si svegliò di soprassalto e trovò Emma rannicchiata su un lato del letto, con i pantaloncini da calcio usati come pigiama. Si rese conto che anche lei dormiva nella stessa posizione, e questa cosa la commosse.

Per un attimo, provò il desiderio di fermarsi nella sua città: ma fermarsi significava assumersi le proprie responsabilità, trovare un lavoro, educare sua figlia. Il vero problema era che Emma non solo rappresentava la sua delusione, ma ormai aveva imparato a cavarsela senza di lei.

A tutto questo pensava Angela, alle cinque del mattino, con lo sguardo fuori dalla finestra verso una discesa lungo la quale aveva sognato di fuggire, e che ora invece le dava un po' di pace. Anche il campanile la rassicurava. Emma si svegliò in quel momento di soprassalto. Forse aveva fatto un incubo. Angela si avvicinò al letto e la sollevò senza fatica. La bambina aprì gli occhi e le disse «ma sei la mia mamma» lasciandola di stucco. Poi appoggiò la testa sul suo petto caldo e poco dopo si riaddormentò. Angela sentì quel peso su di sé e scoprì una nuova forma di leggerezza. Dopo un po', la rimise a dormire.

Al mattino, quando Angela aprì gli occhi, trovò Emma già vestita con una salopette e un berretto con visiera in testa che la guardava seduta accanto a lei.

«Buongiorno piccola, cosa fai già sveglia?»

«Io non sono piccola. Devo andare a scuola altrimenti si fa tardi, e la nonna ha già preparato la colazione.»

Angela balzò in piedi e, come se fosse lei l'alunna, si preparò in quattro e quattr'otto per fare colazione insieme a sua figlia. Sul tavolo, imbandita come se fosse domenica, c'era la pinza, marmellata, biscotti e qualche pera che la nonna aveva comprato al mercato.

Angela non se la sentì di accompagnare Emma a scuola: aveva bisogno di Riccardo, e lui non sarebbe rientrato prima dell'ora di pranzo. «Vengo a prenderti con lo zio bello» le aveva detto mentre riordinava la cucina, e lei se n'era uscita dicendo: «Ma quindi adesso tu sei mia mamma e lui mio papà?».

Fu il Pipan a intervenire: «No, piccola mia. Nessuno può sostituire né il nonno né lo zio. Mentre la mamma è la tua e sarà sempre la tua, anche quando dovrà tornare a lavorare...».

«E quando deve lavorare la mia mamma?»

Emma non mollava.

«Presto, ma ti vengo a prendere a scuola, quindi fai la brava oggi. Così magari ti porto un regalo. Cosa vorresti?»

Emma non ebbe alcuna esitazione.

«Un pallone di cuoio!»

«Ma il pallone è per i maschi. Non c'è una bambola che ti piace?»

Emma ci pensò su, ma non le venne in mente nulla. La nonna le fece cenno di muoversi, lei prese la cartella e uscì. Angela si versò un'altra tazzina di caffè. Uno spiffero d'aria spalancò la finestra e le sembrò che il tempo non fosse passato.

«Allora, come l'abbiamo cresciuta?»

Nerina colse Angela di sorpresa.

«Bene. Anche se sembra un maschio.»

«Lo fa per te. Ha scoperto che se fosse stata un maschio tu non saresti andata via, e da allora si è messa in testa questa cosa: ogni tanto prova ancora a fare la pipì in piedi, è bravissima a calcio e si sa già tuffare a clanfa. All'Ausonia la chiamano *fenomeno*.»

«Non fa altri giochi?»

Fu il Pipan a risponderle.

«Sì, corre. Corre sempre, non si sa se scappa da qualcosa o insegue qualcuno. E con il fatto che c'è sempre chi la tiene d'occhio, è una bambina con lo spirito di avventura. Se si perde segue le campane e torna a casa. Siamo tutti orgogliosi di lei. Se solo fosse nata sotto l'Austria secondo me poteva andare alle Olimpiadi.»

Angela provò a cambiare discorso.

«Ma ha delle amiche?»

«Le nostre vicine e una bambina croata, Mila, a cui sono morti i genitori e vive con la zia. È magra magra e molto bella. Ora che le hai detto che le porti un regalo, non deluderla però.»

Il Pipan le parlava dalla poltrona sotto il ritratto di Francesco Giuseppe.

Angela si sistemò velocemente e uscì. Dopo poco, era nel negozio di giocattoli più bello della città di fronte a una fila infinita di bambole di tutti i tipi. Vide anche dei palloni di cuoio e per un attimo ebbe la tentazione di accontentare la figlia, ma qualcosa la trattenne. Così, dopo lunghi tentennamenti, e dopo essersi fatta spiegare le differenze tra il Cicciobello che piange e quello che fa la pipì, scelse la Serenella: si lasciò convincere dal nome.

Quando Emma vide sua madre davanti a scuola, ebbe un tuffo al cuore. Anche lei aveva una mamma, ma era così emozionata che non riuscì a indicarla ai suoi compagni, che la scambiarono per l'ennesima vicina di casa. In mano Angela teneva un pacco, che però aveva una forma un po' troppo rettangolare per contenere un pallone. Emma lo scartò comunque speranzosa, ma si ritrovò tra le braccia una bambola di cui avrebbe volentieri fatto a meno.

«Allora, ti piace? Si chiama Serenella, così anche tu puoi giocare a mamme, eh?»

Emma la trovava terribile ma davanti a sua madre finse che le piacesse. Finse anche che il pallone non le interessasse.

Appena iniziata la scuola, prima delle tabelline, prima di "a" come ape, prima dei pensierini, Emma dovette già imparare a recitare una parte. Quando però Angela le prese la mano, lei si sentì per la prima volta felice. Avrebbe lanciato per aria la Serenella invece si sforzò di stringerla a sé e fece finta di parlare con lei.

12

Il giorno dopo, prima di ripartire, Angela volle rivedere il Carso. Le mancava il suo paesaggio fatto di pini e di giallo, di vento e distanza, anche se in autunno i suoi colori si sbiadivano leggermente. A Bassano c'era sempre foschia e quella mattina aveva bisogno di guardare lontano per capire cosa fare.

Riccardo l'accompagnò al castello di San Servolo, a Capodistria, dove portava le ragazze a vedere le stelle e non si era mai fermato a osservare il panorama. Fecero quattro passi oltre la rocca e arrivarono fino allo strapiombo: lì sotto, a un passo, la loro città, con i due porti, le case colorate, il guazzabuglio di edifici e di storia. Era una giornata così limpida che si vedeva fino a Grado.

«Allora, che hai deciso?»

«Vuoi la verità?»

«Sempre.»

«Io non ce la faccio a essere madre, adesso. Mia figlia è curiosa, divertente, sembra anche allegra... ma mi ricorda troppo Pasquale. Io guardo lei e vedo lui. E Pasquale è la mia spina nel fianco, mi capisci?»

«Io non ti capisco, ma ti conosco. E se continui a pensarci ti farai male. Il tuo non è amore, Angela.»

«E cos'è?»

«Follia.»

«Pazienza.»

Riccardo prese la testa di sua sorella e la rivolse verso il mare.

«È là che devi guardare... o verso tua figlia. Ma non puoi pensare ancora a quel mascalzone. Perché ti ha preso solo in giro.»

«E tu quante ne hai prese in giro?»

«Io non ho mai messo incinta nessuna... e metto subito in chiaro che non voglio sposarmi. Pasquale ti ha detto un sacco di balle.»

«Ma io lo amavo.»

«Te ne sei andata con il primo che hai trovato, e a cosa ti è servito se torni qui a cercarlo? Hai tua figlia, prenditi cura di lei.»

«Non sono pronta.»

«Allora vai a Bassano e riprenditi la tua vita. Quando sarà di nuovo tua, vieni a trovarci. Emma almeno ti ha conosciuta e sa che ha una mamma bellissima.»

«Dici che le piaccio?»

«Ma non hai visto come ti guarda quando parli?»

Angela ebbe un momento di commozione, e davanti al suo mare lei non riusciva a mentire.

«So di essere una pessima madre, ma sarei una madre peggiore se restassi qui, con tutti gli occhi addosso e una figlia di cui ho perso l'affidamento.»

«Sai benissimo che i nostri genitori farebbero qualsiasi cosa per te. Altri ti avrebbero preso a calci in culo. Mamma ti ha fatto persino gli gnocchi. E lascia stare nostra cognata, che è gelosa... si sistema tutto. Ma prima devi capire cosa vuoi veramente.»

«Ci provo.»

Il vento cominciava ad alzarsi e a dare fastidio. Riccardo invitò sua sorella a risalire in macchina.

«Quindi ti porto fino a Mestre e poi prendi un treno?»

«Sì ma stiamo ancora un attimo qui. La bora, quando arriva, non me la ricordavo più. Mi è sempre piaciuta perché ti fa capire che tutto può ancora succedere.»

«E di me ti ricordavi?»

«Tu sei la cosa più bella del mio passato.»

Riccardo sorrise compiaciuto. Sua sorella era l'unica donna che riusciva a tenerlo in riga. Mentre tornavano, videro delle frasche appese a un cartello stradale.

«Da quanto tempo non entri in un'osmiza?»

«Da troppo.»

Dopo qualche tornante arrivarono alla porta di una di quelle case aperte che offrono vino, salumi, sottaceti e buona compagnia. Fu Riccardo a entrare per primo.

«Guarda che bei *muli*» disse l'anziana proprietaria, e li fece accomodare a un tavolone già occupato da una famiglia e da quattro vecchietti che giocavano a carte.

In confronto a loro, Angela e Riccardo sembravano venire da un mondo lontano. Per poche lire ordinarono qualcosa da mangiare e fiumi di vino della casa, forse la cosa che più era mancata ad Angela della sua terra: «Perché il vino qui ha un altro sapore».

Stranamente non parlarono molto. Avevano entrambi solo bisogno di stare vicini. A parlare c'era la bora, che ora tirava come non mai, e la musica che veniva da radio Fragola. A un certo punto, sentirono una canzone che assomigliava a un twist, ma nessuno dei due ebbe la sfrontatezza di alzarsi e ballare. Così fecero un piccolo cin cin con i bicchieri bassi di vetro.

«Invece tu, Riccardo, quando la metti la testa a posto?»

«In questo siamo veramente fratelli.»

«Ma prima o poi ce la faremo, no?»

La signora che li servì al tavolo si permise di commentare.

«Con questi salumi qui farete molta strada, sapete?»

«Bene, perché dobbiamo arrivare fino in Veneto.»

«Be', meglio in Veneto che in Friuli. Ne ho sposato uno di lì e me ne pento da trent'anni. Anche se alla fine lo risposerei mille altre volte.»

La donna scoppiò a ridere. Vedendola, Angela e Riccardo dimenticarono la loro malinconia. Risalirono in auto, passarono da Trieste, ma Angela non volle più tornare a casa. Non aveva la forza di dire addio alla bambina. La chiamava così: "la bambina".

Solo quando arrivarono alla stazione di Mestre, davanti a un treno regionale semideserto, lei ebbe il coraggio di chiedere: «Sono una madre tanto sciagurata?».

«Ognuno dà quello che può, ma se hai un po' di cuore non sparire.»

«Prima o poi tornerò. Ho ancora bisogno di tempo.»

«Il tempo è una scusa. Tu sai già cosa vuoi, in fondo. Ad esempio sei così sicura di restare con tuo marito?»

«Lui mi ama, e per ora mi basta.»

Riccardo le diede un bacio e le tirò appena i capelli da dietro, come faceva quando erano bambini. E forse lo erano rimasti.

13

Angela tornò a Bassano del Grappa con le idee un po' più chiare. La mezza lettera che Pasquale le aveva scritto aveva tamponato il suo malessere, e anzi l'aveva resa più sicura. Non era più la ragazza con l'onore ferito, ma con l'orgoglio ritrovato. E al posto della pistola, nella borsa, aveva dei dolcetti che aveva preso alla Bomboniera, la sua pasticceria, e che voleva portare a Ferruccio. Le parole di suo fratello l'avevano colpita e aveva deciso di cambiare atteggiamento con suo marito.

Quando arrivò a casa, lo trovò ad aspettarla con la tavola imbandita: tovaglia bianca, piatti del servizio buono, bicchieri per l'acqua e calici per il vino. Aveva apparecchiato come se fosse festa. Angela restò spiazzata.

«Buon anniversario, amore mio. Sapevo che saresti tornata per festeggiarlo con me.»

Lei si sentì stringere lo stomaco, e la compassione che provò in quel momento – se n'era scordata – le scaldò il cuore.

«Sì, non potevo non esserci oggi. Per te, per noi.»

«Com'è stato rivedere tua figlia?»

Per una volta, Angela provò a parlare senza indossare nessuna maschera.

«Bello e doloroso. Sembra un maschio, perché le hanno detto che se fosse stata maschio io sarei tornata.»

Ferruccio restò in dubbio se intervenire o meno. Perché quando erano partite per Trieste con suo fratello, aveva intuito che rischiava di non vederla mai più.

«Senti, Angela, ci ho pensato in questi giorni in cui non c'eri... perché alla fine non abbiamo mai parlato tanto io e te, ci siamo sempre amati senza dircelo. O almeno spero. A me piacerebbe avere un figlio. Siamo giovani, abbiamo la possibilità di crescerlo bene insieme ma tu sembri sempre sfuggente e mi dici "se verrà". Sai benissimo che verrà solo se lo vorremo noi. Sei d'accordo?»

Angela tutto avrebbe voluto tranne che affrontare una discussione di quel tipo appena rientrata a casa. Ma vedendo la cura che Ferruccio aveva messo nella cena, con le candele accese, – aveva comprato pure i tulipani – ebbe un senso di conforto.

«Hai ragione. Però voglio essere sincera con te: io come madre ho fallito. Sono scappata e ho lasciato mia figlia crescere da sola con i miei fratelli: ora sembra una di loro. Se vogliamo provare ad avere un figlio, prima io devo recuperare il mio rapporto con lei... anche perché non ho nemmeno la potestà.»

«E se l'adottassi io? Potremmo ricominciare adesso, insieme. È ancora piccola, si adatterà, e potremmo essere tutti più felici. Intanto siediti che sarai stanca del viaggio. Sono andato da Venzo per comprare tutte le cosine che piacciono a te. Stasera non devi fare niente, neanche i piatti. Penso a tutto io.»

La serata prese una piega inaspettata. Angela ormai si era abituata a una routine composta, da vita di provincia, un lavoro semplice, un'amica che le faceva poche domande e un marito che avrebbe fatto sempre l'amore con lei. E ora di colpo le chiedeva sogni e sentimenti, e lei si trovò con la pistola alla tempia a dover decidere il suo futuro.

«Intanto mangiamo, che ho fame! E vedrai che troveremo come fare. La vita è lunga, Ferruccio.»

«Sì, ma ci sono decisioni che vanno prese prima o poi.»

«Intanto brindiamo. Ho avuto dei giorni difficili e ho bisogno di un po' di allegria.»

Ferruccio allora si alzò, la sollevò sulle sue braccia e iniziò a farla girare come una pazza fino a che lei, finalmente, rise. Avevano deciso entrambi di ripartire, non si sapeva per dove, fragili com'erano, ma era un passo che non avevano mai compiuto.

Angela si sentì più vicina che mai a suo marito, che aveva la sola colpa di non essere l'altro. Quella sera, finalmente, lo guardò negli occhi, lo baciò, e si concesse come non aveva fatto mai. Forse poteva tentare di avere un altro bambino, ma il volto di Emma abbracciata alla Serenella la fece desistere subito: sarebbe stato un danno troppo grande per la figlia, che non lo meritava.

Dopo l'amore, Angela cercò di immaginare un nuovo futuro: «Allora, se te la senti, potresti davvero diventare il papà della bambina. Io non so come si possa fare con la burocrazia, ma vedrai che un sistema lo troviamo. La prossima volta che torno a Trieste vieni con me, così ti presento finalmente ai miei genitori e ai miei fratelli... e soprattutto a Emma. La devi conoscere. Che ne dici?».

Ferruccio si sentiva già meno pronto. Diventare padre di una bambina che frequentava le elementari non era il modo più semplice per diventare genitore. Ma per lui Angela veniva prima di tutto, e se non fosse stata così complicata non gli sarebbe mai piaciuta allo stesso modo. Alla fine, ognuno di noi s'innamora di chi ci guarda per un attimo e poi ci sfugge per sempre.

Così quella sera Ferruccio si dedicò alla sua Angela come se fosse il loro primo incontro. Come se dovesse convincerla a ballare di nuovo il mambo triestino. E Angela provò un autentico piacere a stare con lui.

Da quando aveva deciso di andare a vivere a Bassano, Angela si era sentita finalmente un po' più a suo agio in quella casa, con quell'uomo, in quella città. Propose a Ferruccio di uscire e fare una passeggiata.

Era una sera d'autunno che profumava di foglie e caldarroste, e tutto sembrava facile. Camminarono per piazza Garibaldi come una coppia di fidanzatini. Si fermarono al Danieli a bere un amaro che diede loro un'ulteriore euforia.

A Bassano ormai li conoscevano anche se non li avevano mai capiti completamente, e quella sera tutti parevano contenti di vederli in quel modo.

A fine giornata, una delle più lunghe della sua vita, Angela ebbe la sensazione che fosse giunto il momento di cambiare le cose. Con l'aiuto di Ferruccio avrebbe potuto recuperare il rapporto con Emma, sarebbero stati insieme e avrebbero provato a dare forma a una famiglia. Forse era l'euforia dell'alcol, o le parole scritte da Pasquale, forse l'aver dormito con sua figlia dopo anni. E così, mentre le campane suonavano la mezzanotte e la luna illuminava la parte buia della piazza, Angela disse a Ferruccio: «Per il compleanno di Emma torniamo a Trieste e te la presento».

Lui le diede un bacio davanti a tutti, senza fermarsi, e aggiunse: «Lo farò perché ti voglio vedere di nuovo sorridere». Ad Angela, in quel momento, scese una lacrima.

14

Un paio di mesi dopo, all'inizio di dicembre, Angela tornò a Trieste. Aveva avvisato Jure – la "radio ufficiale" della città vecchia – e si era sentita come al solito con Riccardo. Preferì arrivare da sola e preparare il terreno per Ferruccio, che l'avrebbe raggiunta subito dopo. In quel periodo si erano sempre più convinti di diventare genitori di Emma, per il suo futuro e anche per il bene della loro coppia.

L'unica persona ostile era la solita cognata, ormai invisa a tutti tanto che la chiamavano semplicemente la "cognata". E pazienza se era la moglie di Primo e per questo andava rispettata.

La cosa che sorprendeva i vicini, ma nemmeno più di tanto, era quanto la famiglia Pipan fosse comunque legata ad Angela. In fondo, diceva il nonno, «moriremo tutti e allora dobbiamo imparare a prendere la vita quando c'è. E una figlia così bella quando ti ricapita?» Per il Pipan, lei era la donna più bella del mondo: «solo Milva può competere» aggiungeva, ma non ci credeva nemmeno lei.

Anche Emma in quei mesi aveva fatto una specie di fioretto: si sforzava di farsi piacere la Serenella, non l'abbandonava mai, e la portava anche a casa di Mila, l'unica che non la faceva sentire diversa: ogni tanto la zia la invitava a fermarsi per cena e quando Emma se ne andava pensava che comunque era più fortunata della sua amica perché aveva molti più zii e una madre, anche se non c'era mai.

«La tua mamma non c'è mai perché lavora a Bassano» aveva

precisato il Coccolo. Insomma, la storia si ripeteva, ma l'arrivo di Angela portò una strana euforia. La circondava una specie di aura magica, perché quando c'era lei tutti davano il meglio di sé. Aveva un carisma involontario che nasceva dal suo fascino misto alla sua insicurezza. Se solo fosse stata più consapevole delle sue armi di seduzione, sarebbe stata una donna insopportabile.

Appena entrò in casa, Emma corse ad abbracciarla. «Me l'aveva detto Serenella che saresti tornata» le disse, e Angela provò una fitta allo stomaco. Guardò attentamente sua figlia e la trovò un po' più femminile. E poi giocava con la bambola! Peccato che subito dopo la vide con un martello in mano ad aiutare il nonno ad appendere un quadro trovato nel Ghetto.

E mentre Emma ammirava soddisfatta il ritratto di Maria Teresa d'Austria, Angela se ne spuntò dicendole: «Sai che domani conoscerai il tuo papà?».

La domanda rimbombò nella stanza come un tuono che ammutolì tutti, anche gli Asburgo.

Era la prima volta che Emma sentiva questa parola a casa sua. I fratelli guardarono la sorella preoccupati, ma lei li tranquillizzò: «È Ferruccio. Ha deciso di venire qui domani, se lo volete ospitare. Vuole conoscere la bambina e presentarsi in famiglia».

Nessuno ebbe la prontezza di ribattere, e Angela si rese conto di aver detto qualcosa di inaspettato.

La cognata stava per dire la sua ma fu il Pipan a intervenire: «In questa casa tutto possiamo dire tranne che ci si annoia. Così San Nicolò quest'anno a Emma porterà anche... diciamo... il papà, o come lo vorrà chiamare».

Emma perse tutta l'euforia iniziale. Lei da San Nicolò desiderava palloni e soldatini, non un padre. A tavola erano già tanti e una persona in più non ci stava. Questo Ferruccio era un amico della mamma, e lei voleva la mamma solo per sé. E poi cos'era un papà? A scuola sentiva continuamente dire «mio papà di qua, mio papà di là» e lei ascoltava senza mai commentare. Neanche Mila sapeva risponderle: «io ho solo mia zia». Quando all'asilo aveva fatto con il Das un posacenere colorato per la festa del papà, era arrivata senza sapere a chi darlo, così aveva scelto il Pipan.

Il giorno dopo avrebbe compiuto sette anni.

A tavola, Emma guardava Angela come se fosse un cartone animato. La osservava sorridere, parlare, cambiare espressione, toccarsi i capelli, scherzare con gli zii, sparecchiare. Avrebbe voluto rivivere ogni movimento alla moviola per poter stare con lei più tempo possibile. E ne era già gelosa: a parte il nonno, che secondo Emma poteva fare tutto, gli altri zii dovevano lasciarla in pace, così si sarebbe dedicata solo a lei.

Angela invece era ben contenta di essere al centro dell'attenzione, e raccontava le sue disavventure alla Bottega del Baccalà, dove ancora confondeva le aringhe con le sardine. Il Pipan la guardava compiaciuto e sorseggiava il suo amaro preferito: il Pelinkovac.

E non appena Angela riprendeva fiato ed Emma sperava di avere un po' di attenzione, ecco che lo zio Riccardo partiva a raccontare le sue avventure con le ragazze dell'Ausonia mischiando l'italiano al dialetto mentre i gemelli lo ascoltavano come se fosse un guru.

«Basta che prima o poi vi sposiate... che io non posso cucinare sempre per tutti» bofonchiava Nerina, che non riusciva mai a prendere la parola.

«Ma se poi si sposano, se ne vanno?» chiese la piccola Emma.

«Speriamo! Francesco Giuseppe si è sposato a diciassette anni» le rispose il Pipan.

Insomma, nulla era cambiato. Anche Riccardo bevve un goccio di amaro e ne offrì ai fratelli.

«Allora domani ci porti finalmente il tuo...»

«Marito... è mio marito.»

«E alla bambina diciamo che è il suo...»

«Papà. A lui piacerebbe conoscerla e vederla. È un po' geloso quando vengo qui, e vorrebbe seriamente prendersi cura di lei.»

Angela aveva talmente poca dimestichezza con i bambini, che non si rendeva conto di quanto sua figlia potesse capire. Emma non aveva mai saputo di avere un papà e adesso di colpo gliene veniva affibbiato uno: "Quindi sono un po' uguale agli altri" pensò, ma non era così convinta.

La serata proseguì tra chiacchiere, allegria e un unico tabù: Pasquale. Tutto ciò che lo riguardava era stato rimosso da ogni discorso.

Emma continuava a fissare sua mamma e la trovava bellissima: i capelli biondi e quel trucco vistoso la facevano sembrare una di quelle principesse delle fiabe che tanto piacevano alle sue compagne. Le sarebbe piaciuto parlare con lei, avere la sua totale attenzione. Dirle che le voleva bene. Invece si sentiva come Heidi, che aveva solo il nonno, la casa e le montagne. "E io non ho neanche una capretta" pensò.

Dopo mezzanotte, Angela capì che forse era il caso di mettere Emma a letto, anche se era sveglia come un grillo. I vetri delle finestre, intanto, avevano iniziato a vibrare. Si stava alzando di nuovo la bora. Finalmente sole, Angela la prese e la tenne accanto a sé.

«Dove hai lasciato la Serenella?»

«In cucina.»

«L'hai dimenticata perché non ti piace?»

«L'ho dimenticata perché adesso ci sei tu.»

Emma parlava senza filtri, e Angela venne attraversata da un brivido, ma nella sua incoscienza seguiva il piano che si era prefissata senza tenere conto delle implicazioni.

«E poi domani conoscerai il papà... sei contenta?»

«Sì.»

Sua figlia rispondeva come quando ti parlano in una lingua straniera e dici sì solo per non interrompere il flusso della conversazione.

Dopo quattro zii, una cognata, due nonni, un'amichetta e una madre, ci mancava solo un papà. E ancora non poteva sapere che di papà, in qualche parte d'Italia, ne aveva anche uno vero.

15

Non c'è notte più inquieta di una notte di bora scura.

Trieste spense all'improvviso le sue luci e non le restò che la schiuma bianca del mare, che si rifrangeva sulle Rive e sul Molo Audace come se fosse impazzito. Oltre ai refoli di vento, che arrivavano a velocità folli, si era aggiunta anche la pioggia, che picchiava quasi fosse grandine estiva.

Ferruccio arrivò la mattina dopo a Trieste che la tempesta si era un po' calmata, anche se la pioggia battente rendeva tutto triste e un po' infelice. Sicuramente, non un segno di buon auspicio. Anche Emma, che aspettava il compleanno con ansia, appena aprì gli occhi pensò che non sarebbe potuta andare al ricreatorio, o a giocare a pallone in piazza Barbacan – neppure imbacuccata – dove si divertiva a tirare i rigori. Ma svegliarsi di fianco a sua mamma le sembrò comunque una giornata di sole.

Angela la guardò e le disse: «Buongiorno piccola, oggi sei diventata grande... sette anni!» ed Emma pensò che aveva fatto bene a comportarsi come un maschio perché sua mamma stava tornando da lei. Era così felice che riprese in mano la Serenella. Sapeva che Angela la stava osservando, allora cercava di imitare Mila che parlava sempre alle sue bambole come se fossero creature animate: «Allora, Serenella, adesso ci laviamo la faccia, poi ci cambiamo e andiamo a fare colazione dalla nonna... che ha preparato la torta. Ti piace la torta?».

Quando Angela, Emma e la Serenella scesero in cucina la tavola era apparecchiata con prosciutto caldo, *putizza* – uno dei loro dolci preferiti –, frutta e uova sbattute. E poi c'era un pacco enorme per Emma.

«Questo te lo ha portato in anticipo San Nicolò» disse il Pipan.

Emma posò la bambola sulla sedia senza troppa cura – si era scordata di recitare – e scartò il regalo. Dentro, un pallone di cuoio. Quello che da mesi stava chiedendo a tutti.

Emma non capì più niente. Corse prima dal nonno, poi dalla nonna, poi mandò un bacio a Maria Teresa d'Austria. Si scordò incredibilmente di sua madre e diceva solo: «Posso andare a giocare subito?» a un voi generico.

Nerina aprì la finestra che dava sulla via per farle vedere quanto pioveva, ma a lei non interessava. Sarebbe uscita anche sotto il diluvio.

«Prima siediti con la mamma e facciamo colazione tutti insieme. Tanto è domenica.»

La mamma. Non aveva l'abitudine ad averla in casa con loro.

Emma obbedì, e si sedette abbracciata al suo pallone. Angela guardò la Serenella seduta ed ebbe la prova che i figli non basta metterli al mondo per conoscerli. Fu il Pipan che le si avvicinò all'orecchio e le sussurrò: «Ricordati che lo fa sempre per te».

Angela si buttò sulla putizza che a Bassano non la sapeva fare nessuno, quando la zia di Mila bussò alla porta.

Appena la vide, Emma s'illuminò di gioia: finalmente sua madre e la zia della sua amica si potevano conoscere! Ma la signora aveva una questione urgente.

«C'è un signore che vi cerca... si chiama Ferruccio.»

Angela balzò in piedi. Era un momento importante e non era pronta. Non era mai stata pronta. «E chi è Ferruccio?» chiese Emma facendo finta di non aver mai sentito quel nome.

«Lui è mio marito e come ti dicevo è il tuo... papà.»

Il papà. Una parola con l'accento che aveva imparato a scrivere e di cui non aveva mai capito bene il significato. Quella domenica le parve di sfogliare un vocabolario illustrato delle parole che ancora non conosceva.

Ferruccio entrò in casa spinto quasi a forza da un vento che non si era ancora placato del tutto. Era completamente fradicio e suscitò subito un sentimento di tenerezza. Si guardò intorno e vide quella cucina che Angela gli aveva tanto descritto e gli sembrò minuscola e un po' disadorna.

«Buongiorno a tutti...» disse con un tono di voce piuttosto basso, mentre i nonni andarono a salutarlo. In mano, aveva una scatola con le meringhe di Bassano. Angela gli diede un bacio sulla guancia e questo gesto infastidì Emma, le cadde addirittura il pallone per terra. Ferruccio glielo porse con dolcezza: «Tu se non mi sbaglio devi essere la famosa Emma...».

Lei non gli rispose né lo guardò in faccia. Le era antipatico prima ancora che aprisse bocca, figuriamoci dopo aver sentito il suo accento veneto. La sua mamma non poteva essere la moglie di uno che parlava in quel modo. Poi, anche se cercava continuamente i suoi occhi, le sembrava un perfetto estraneo. Tutti la stavano osservando in attesa che facesse qualcosa, ma a lei non importava di niente e nessuno.

«Su, saluta il papà» le suggerì Nerina, che non vedeva l'ora di chiudere con il passato: in fondo, aveva fatto togliere ad Angela la potestà sulla bambina.

Emma guardò sua madre, che la incoraggiò con una carezza, più efficace di una spinta. Per non deluderla, dopo qualche tentennamento, si avvicinò a quell'uomo troppo bagnato e gli diede un bacio sulla guancia umida che non avrebbe mai più dimenticato. Per un attimo, le sembrò di riconoscere uno dei Barbapapà, anche se in versione meno simpatica.

«Forse è meglio se ti cambi di sopra» disse Angela a Ferruccio cercando di mostrarsi rilassata, «e già che ci sei ti sistemi in camera mia».

Nel suo prendere ogni situazione senza troppa attenzione, Angela continuava a fare danni: in camera c'erano solo due letti, e Nerina fu costretta a farglielo notare. «Be', li uniamo e dormiamo tutti e tre lì» disse come se fosse una cosa normale. «Hai mai dormito in tre in un letto, Emma?»

«Sì, con lo zio Riccardo e una ragazza ma mi aveva detto di non dirlo a nessuno.»

Per un attimo, risero tutti tranne lei, che era triste perché avrebbe voluto la sua mamma solo per sé almeno un altro giorno. Soprattutto, era il suo compleanno.

Dopo essersi asciugato, Ferruccio cominciò a dare corda al Pipan che gli raccontava dell'Istria e dell'Austria e gli chiedeva cosa ne pensasse dell'Italia. Oltre a non sapere cosa rispondere, Ferruccio era attento in particolar modo a quella che sarebbe potuta diventare sua figlia, che continuava a ignorarlo e stava dentro il suo mondo.

L'arrivo degli zii dal porto rese la situazione più allegra e movimentata. Per un attimo sembrarono una famiglia normale, ma durò poco, perché alla porta arrivò Jure direttamente dal bar Stella.

«Buongiorno a tutti... Angela, allora è vero, sei già arrivata!» le disse abbracciandola forte.

«Sì, e lui è mio marito Ferruccio» gli rispose lei tanto per mettere le cose in chiaro.

Jure aveva una strana agitazione addosso che non sapeva controllare, ma non aveva scelta: «Angela, devi venire al bar perché è arrivata una cosa per te e la devi ritirare. Ce la fai ora?».

Riccardo lanciò un'occhiata a Jure cercando di capirci qualcosa, ma il barista era un giocatore di poker e sapeva mentire.

Angela chiese così a suo fratello di accompagnare Ferruccio in camera e di sistemare il letto, e seguì Jure al bar. Le scale erano ancora bagnate, per cui scesero con attenzione.

«Ma che cos'è, hai capito?» provò a chiedergli. Erano i momenti in cui lui gongolava: seminare indizi per tessere nuove storie.

«Un pacchetto piccolo, ma ben confezionato.»

Quando Angela entrò al bar Stella trovò sì un piccolo pacco, ma era tra le mani di un uomo. Pasquale la stava aspettando seduto davanti a un caffè nero bollente.

16

Pasquale era un po' cambiato. In sette anni aveva messo su qualche chilo e un paio di rughe, che non toglievano nulla al ricordo che Angela aveva di lui, anzi lo rendevano più affascinante. Negli occhi non aveva più quella fretta di quando inseguiva i soldi facili. Lei ne percepì subito il pericolo, e si sentì disarmata come ai tempi in cui metteva le prime minigonne. Era tornata la ragazza che sapeva sognare, anche se durante tutto quel tempo non era più riuscita a ridere, tranne quando alzava un po' il gomito con Gilda. E ora che stava provando ad avere una vita normale con Ferruccio, questa visione la riportava indietro negli anni come una punizione.

Per prima cosa guardò male Jure per averle teso un tranello. Ma lui, pur amando il pettegolezzo, sapeva quanto lei ci tenesse: troppe volte, subito dopo la nascita di Emma, gli aveva fatto visita chiedendogli se lo avesse visto, se lo avesse sentito, se c'erano messaggi per lei.

Poi riguardò Pasquale. Era così sorpresa da non avere il tempo di arrabbiarsi, anzi aveva gli occhi pieni di stupore, e la consapevolezza di non potersi fermare a lungo. Lui indossava un maglione così azzurro da accendere la stanza. Anche lei era vestita di celeste e per un attimo, incrociando i loro sguardi, si sentirono due predestinati.

«Come hai fatto a sapere che ero a Trieste?»

«Se uno vuole sa sempre tutto. Ho chiesto a Jure se ti aveva consegnato la lettera e mi ha detto che saresti venuta. Avevo un affare da chiudere con mio cugino e così ne ho approfittato.»

«Alla tua lettera mancava un foglio.»

«L'importante è che tu ora sia qui.»

Angela avrebbe già voluto salire in macchina e fuggire con lui, se solo glielo avesse chiesto. Erano anche vestiti dello stesso colore e i passanti, vedendoli, li avrebbero riconosciuti come anime gemelle.

«Sono qui perché volevo darti una cosa per mia figlia.»

«La figlia non è tua. Non l'hai voluta. E non è neanche più mia... mi hanno tolto la potestà da quando ho deciso di andarmene di qui e sposarmi con un altro.»

Pasquale l'ascoltava tamburellando con le dita sul tavolo. Lei si era illusa di poterlo ingelosire, ma lui sembrava impermeabile ai sentimentalismi.

«Ah, ti sei sposata.»

«Sì. Tu, invece?»

«Io sono sempre sposato e sono diventato padre. Di un maschio.»

Angela sentì su di sé tutto il peso della sconfitta.

«E ora cosa vuoi?»

«La verità è che volevo vedere te.»

«Vedermi per cosa? Vuoi lasciare tua moglie?»

«No, ma io... noi...»

«Noi non esistiamo più.»

Pasquale le prese la mano, e lei non riuscì a togliergliela, anzi la strinse con una rabbia che via via scemava. Quelle maniche azzurre sembravano tendere le loro braccia all'infinito.

«So che Emma oggi compie sette anni. Non me lo sono dimenticato. E volevo darle questo regalo.»

Angela staccò il braccio da quel cielo immaginario e tornò con i piedi per terra.

«Scordatelo. C'è mio marito.»

Pasquale si rese conto di quanto era stato avventato e superficiale in quella decisione. Anche la collana d'oro che aveva fatto fare, con la medaglietta di Sant'Anastasia e la scritta EMMA, sembrava non avere più senso.

«Tu comunque daglielo da parte mia. Dille ciò che credi, ma vorrei che la bambina ricevesse questo ciondolo.»

«Perché dovrei farlo?»

«Non c'è sempre un perché.»

Angela non diceva niente, mentre Jure da dietro il bancone le fece un cenno per ricordarle che doveva rientrare a casa.

«D'accordo, allora dammi il pacchetto. Adesso vado, però.»

«Posso abbracciarti?»

Lei lo lasciò fare, noncurante dei clienti del bar che affollavano il banco e di certo non si facevano impressionare da due amanti clandestini.

In quel gesto Angela cercava un appiglio, Pasquale un po' di perdono. A dividerli, il regalo per Emma.

Si salutarono senza il tempo di dirsi di più perché Jure trascinò Angela fuori dal bar e la lasciò tornare da sola in via della Bora, in quella casa all'angolo tra la chiesa, il vento e il cielo. La salutò senza dirle niente, non voleva intromettersi ulteriormente, anzi pensò che forse avrebbe fatto meglio a farsi un po' più i fatti suoi.

Angela non si rendeva conto di quanto tempo fosse passato, sapeva solo che sarebbe rimasta ancora lì a parlare con lui all'infinito.

La voce di Emma arrivava forte fin dalla strada – «io voglio solo la mia mamma qui con me» – e condusse sua madre di corsa al piano di sopra. Quando entrò, trovò Riccardo seduto sul pavimento che cercava di convincere la bambina ad accettare anche Ferruccio nel lettone. L'arrivo di Angela sembrò tranquillizzarla: lei, che era sempre così libera e indipendente, quando compariva sua madre sembrava regredire, diventava fragile, insicura, capricciosa.

«Che succede, Emma?»

«Loro vogliono che lui dorma in camera con noi mentre io voglio solo te.»

«Ma Ferruccio è il tuo papà... e il papà dorme sempre in camera con la figlia.»

«Hai sentito cosa dice tua mamma?» disse Ferruccio, che provava a entrare nella parte ma non sembrava convinto. Emma guardava sua madre e sperava solo che la portasse via da lì. Angela, invece, ancora sconvolta per come la sua vita si stesse complicando ogni giorno di più, prese la scatola che aveva in tasca, guardò Ferruccio con occhi complici, e la consegnò alla figlia: «Questo è il primo regalo del tuo papà... aprilo».

Davanti a un regalo, tutti i bambini diventano più indulgenti. Anche se i bambini ragionano per dimensioni, quindi una scatola piccola doveva contenere un regalo piccolo per forza. Infatti, lì dentro c'era una collana con una medaglietta con il suo nome. Emma la guardò perplessa e la consegnò a sua madre che la vide per la prima volta facendo finta di conoscerla già.

«Tutte le brave bambine hanno una medaglia con il proprio nome. Ti piace?»

«Sì, mamma.»

Emma non osava contraddirla.

«Allora devi ringraziare il papà.»

Ferruccio guardò Angela senza sapere cosa fare. Aveva fatto un regalo a sua insaputa a una bambina che non lo voleva in camera e che ora era costretta a ringraziarlo.

Lo zio Riccardo intuì qualcosa, ma preferì defilarsi. Appena lui uscì, Emma si addormentò in quello strano letto a una velocità inaudita, quasi avesse il desiderio di sparire anche lei da una situazione assurda. Appena il suo respiro si fece pesante, Ferruccio si avvicinò ad Angela con tono decisamente seccato.

«Adesso mi dici di chi è quella medaglietta che le avrei regalato io.»

Angela balzò quasi in piedi sul letto e gli fece cenno di abbassare la voce. Era piuttosto agitata.

«L'ho presa io... mi sembrava carino che tu le facessi un regalo.»

«Ma quella medaglia non l'hai comprata tu.»

«Come no?»

«No. È venuto quello del bar a chiamarti per consegnarti un pacchetto.»

Angela si sentì scoperta, ma doveva trovare una soluzione rapida.

«In effetti me lo ha regalato la mia vecchia titolare, quella della Bomboniera. Voleva fare un regalo alla bambina.»

«Ma è triestina?»

«Certo. Sono triestini da generazioni. Perché?»

«Perché sulla scatola c'è il nome di una gioielleria di Crotone.»

«Forse l'avrà comprata in Calabria, questo non lo so.»

«Invece secondo me lo sai.»

Angela non riuscì a controbattere, e si chiuse in un silenzio colpevole. Il respiro di Emma, di fianco a loro, era sempre più pesante. Ferruccio si girò su un fianco, mentre Angela restò con gli occhi fissi al soffitto. Con la mano, iniziò ad accarezzarlo. Cercava il suo perdono. Alla lunga lui cedette, e approfittò di quel momento per affrontare la questione più delicata.

«Quindi pensi che io potrei diventare il padre della bambina?»

«Per ora credo di no, e forse è sbagliato imporglielo senza che prima ti conosca, si abitui a te. In realtà non so neanche se vuole me come madre.»

«Ma tu vuoi davvero essere sua madre?»

Angela non seppe cosa dire. Continuò ad accarezzare Ferruccio senza riuscire a trovare una risposta fino a che lui si addormentò.

III

17

Il tempo passò, l'Italia si preparava ai Mondiali di calcio in Spagna, nei ristoranti andava la pasta panna e prosciutto, ed Emma a tredici anni aveva un nuovo idolo oltre a sua madre – che continuava a vivere a Bassano – e a Marco Tardelli: padre Sestilio, il nuovo parroco di San Giusto, che l'aveva conquistata perché veniva dalla provincia di Siena e non conosceva una parola di triestino. Per lei, era come restare incollata a una puntata di "Quark".

I ragazzi non le interessavano più di tanto perché lei voleva essere uno di loro. Anzi, voleva essere Tardelli. Le piaceva perché lottava su ogni palla e non si dava mai per vinto, proprio come lei. Alle medie tutti la chiamavano "la calciatrice" e questo, anziché ferirla, la rendeva più forte. L'unica che continuava a chiamarla con il suo nome era Mila, che nel frattempo era cresciuta incredibilmente di statura ed era diventata "la giraffina di San Giusto". Di fianco a lei, Emma sembrava minuscola, ma si sapeva far valere, perché non aveva paura di nessuno, anche se rispettava le autorità: i professori, il nonno Pipan, lo zio Riccardo e naturalmente padre Sestilio. Con lui si sentiva libera di parlare di tutto.

Un giorno, trovandolo seduto sugli scaloni, gli chiese: «Ma tu che conosci Gesù... secondo te riesci a farmi cambiare sesso?».

Il parroco la guardò spiazzato.

«E perché vorresti cambiare sesso?»

«Perché io mi sento più maschio. Poi io so giocare a pallone, sono forte, mi so tuffare da dieci metri, so mettere i chiodi con il martello. Quindi Gesù non dovrebbe fare molto.»

Don Sestilio le sorrise.

«Ma tu sei una ragazzina stupenda, tua mamma sarà orgogliosa di te.»

«Sì, ma se fossi nata maschio lei sarebbe venuta a vivere qui. Invece sta a Bassano e viene solo per il mio compleanno. Non puoi chiedere a Gesù?»

Su quell'argomento, Emma non era cambiata. Continuava a cercare una soluzione al suo desiderio di normalità, che in terza media sentiva ancora più forte.

«Ora gliene parlo. Però se ti ha fatto così dovresti essere contenta.»

«Lo so, ma voglio tentare. Allora glielo chiedi?»

«Ci provo. Però ti aspetto alla messa.»

A Emma non piaceva tanto andare in chiesa ma adesso glielo stava chiedendo personalmente il prete e trovava irresistibile quell'accento toscano. Non poteva deluderlo. Era il suo nuovo amico.

«Certo, Sestilio. A che ora la fai?»

«La prima alle sette del mattino, poi una alle sei del pomeriggio. Adesso forse è meglio se torni a casa che i tuoi nonni saranno preoccupati.»

«Sì... vado via subito. Ricordati di parlare con Gesù, okay?»

Don Sestilio le fece una carezza, poi la guardò andare via e ringraziò Dio di avergli fatto incontrare una ragazzina tanto bizzarra.

Emma quel giorno non tornò a casa correndo, ma a passi lenti e a mani giunte come se avesse avuto un'epifania. Aveva incontrato un signore simpatico, vestito con il gonnellone che le aveva aperto le porte del paradiso. Lei si sentiva già un po' santa. Entrò in cucina sempre a mani giunte lasciando tutti di stucco, a cominciare dal Pipan.

«Mica vorrai diventare suora, vero? Che qui abbiamo già abbastanza problemi.»

Emma non ci stava capendo più niente.

«Prima la nonna diceva sempre di andare a messa, adesso che sono amica del prete non va più bene?»

Il Pipan non voleva contraddire sua moglie ma non voleva neanche che la sua nipotina prendesse la retta via troppo sul serio.

«La religione va bene, ma senza esagerare.»

Emma, che come tutti i Pipan non amava le mezze misure, iniziò ad andare a messa tutti i giorni e – quando poteva – faceva il tragitto dalla chiesa a casa a mani giunte. Conosceva i salmi a memoria, ripeteva le letture, e quando don Sestilio faceva le prediche lei annuiva per fargli vedere che aveva capito. Era sicura che, comportandosi così, un giorno o l'altro sarebbe diventata maschio. Se Gesù aveva fatto tanti miracoli, non poteva aggiungerne un altro?

Sua mamma, nel frattempo, era diventata un racconto mitologico che si materializzava una volta all'anno, per il suo compleanno. Per due anni era apparsa anche d'estate, perché le mancava il mare.

Quando invece i compagni di scuola chiedevano a Emma di suo padre, lei tirava fuori la risposta pronta, come le rime della *Cavallina storna* che aveva imparato a memoria: «Si chiama Ferruccio e vive a Bassano del Grappa con mia mamma».

Un giorno, però, con quella crudeltà tipica dei bambini imbeccati dai genitori, uno le disse: «ma quello non è il tuo papà» e lei si rese conto che aveva ragione.

Emma aveva sempre intuito che nella sua vita c'era un segreto nascosto da qualche parte e che lo avrebbe scoperto. Al suo fianco c'era Mila, sempre pronta a tirarla su di morale nei momenti difficili: «Ricordati che io ho solo mia zia».

Per distrarla, lo zio Riccardo la portava all'Ausonia all'ora dell'ultimo tuffo – anche se lui non pagava nemmeno l'ingresso ridotto – per migliorare nella "clanfa" e farla come i maschi, che li guardavano ogni volta con curiosità. La cosa bella è che lo zio non sapeva come spiegarglielo: semplicemente si tuffava e lei lo imitava temeraria. «Ho schizzato?» chiedeva quando riemergeva, e tutti i ragazzi la rassicuravano con un pizzico d'invidia. A tredici anni si tuffava schizzando più di loro.

Anche lo zio Primo, se non c'era sua moglie, si divertiva con lei. Il Coccolo era lo zio delle confidenze mentre il Biondo era quello più matto, un po' perché imitava Riccardo il playboy, un po' perché le vicende di Angela lo avevano condizionato e non voleva mettere la testa a posto.

Emma non aveva però fatto i conti con il fatto che anche gli zii più scapestrati, prima o poi, si sarebbero sposati. Lei non vedeva di buon occhio le fidanzate, che cominciavano a venire a cena da loro rubandole la scena, ma capì di essere fragile proprio il giorno in cui il Biondo annunciò le sue nozze. Dopo Primo e dopo il Coccolo – che si era sposato pochi mesi prima – era giunto il suo turno.

Quando Emma iniziò a vedere che tutta la famiglia era in agitazione per il matrimonio, si rese conto che anche lui sarebbe partito definitivamente.

Spesso avevano dormito insieme, quando il Coccolo aveva bisogno della loro stanza tutta per sé. Se erano soli, però, lui le raccontava sempre del mare. Dei suoi viaggi avventurosi quando non doveva lavorare al porto ma poteva salire su una barca e andare a pescare.

La sera prima delle nozze Riccardo organizzò la classica serata di "addio al celibato", insieme a tutti i fratelli e ai pochi amici al Piccolo Mondo, il night in piazza Unità. Anche Emma voleva partecipare e portare Mila con sua zia che non usciva mai. «Ma siete femmine» diceva lui, e lei viveva questa cosa quasi come un'offesa. Vide gli zii ridere come dei pazzi già a casa, perché le feste di addio al celibato al night suscitavano sempre un clima goliardico.

Ovviamente Riccardo pretese dal gestore i tavoli più vicini alle spogliarelliste. Dopo due bottiglie di spumante, il Biondo non capiva più niente, mentre le ragazze intorno a lui gli facevano mosse provocanti.

«Dài, muovi le chiappe» gli dicevano tutti, e lui danzava beato dimenticandosi per una volta della vita e del mare. Era in balia di un istinto primordiale e quelle due bionde lo facevano sentire davvero desiderato. In quel momento credeva alle loro avances ed era così brillo da non immaginare che dietro ci fossero i soldi raccolti dallo zio Riccardo per festeggiare degnamente. Alla fine rientrò in casa alle cinque di mattina sorretto dai fratelli. Alle dieci si doveva sposare in chiesa.

Verso le otto e mezzo, Nerina chiese a Emma di andare a vedere a che punto fosse il Biondo. La ragazzina, seppure a malincuore, salì nelle camere e notò che lo zio e Riccardo erano in catalessi. Provò a dire «su, sveglia» ma non lo fece in modo convincente.

Da come russavano, erano per forza ubriachi. Intanto, in cucina cominciavano ad arrivare i vicini per salutare lo sposo poco prima che andasse all'altare. Il Pipan offriva dolci e serviva spritz con vino bianco e acqua minerale: «È così che si beve, come lo facevano agli austriaci».

Ogni volta che bussavano alla porta, era sempre Emma a correre sperando che fosse Angela, che aveva avvertito che sarebbe arrivata all'ultimo.

Ma di sua mamma nessuna traccia, né tantomeno dello zio: «Mi hanno detto che si sta preparando» diceva Emma mentendo.

Nerina iniziò a essere preoccupata: «Dài... vai a dirgli di muoversi, altrimenti salta il matrimonio!».

Lei partì di corsa, ma sulle scale iniziò a rallentare il passo e a ripetere «il Signore è mio pastore, non manco di nulla». Mancava mezz'ora alla cerimonia, che per lei corrispondeva alla mezzanotte di Cenerentola. Se il Biondo non si fosse svegliato in tempo, lei lo avrebbe avuto ancora in casa con sé. Per cui tornò a dirgli «zio, svegliati» usando un tono talmente basso che era impensabile che lui potesse sentirla. Fu invece Riccardo a spalancare gli occhi di soprassalto e a scuotere il fratello: «Ma è tardi, cazzo! E tu Emma, perché non ci hai svegliato?».

«Ci ho provato ma non sentivate. E visto che lo zio non si è ancora alzato non si sposa più.» Emma era convinta di poter cambiare la realtà. Riccardo spalancò le finestre e tirò giù le coperte al fratello.

«Ehi *mona*, svegliati che devi prender moglie!!!»

Il Biondo sembrava fosse stato investito da un camion, ed Emma era la più felice di vederlo ridotto in quello stato. Ma nessuno poteva fermare lo zio Riccardo, che lo buttò sotto l'acqua fredda, lo vestì, gli annodò la cravatta e lo obbligò a bere un doppio caffè al volo.

Il Pipan non disse nulla perché immaginava cosa avessero fatto la sera prima e un buon triestino preferisce "bere l'ultimo bicchiere controvoglia che assolvere i propri doveri con voglia".

La sposa intanto era all'altare che aspettava da venti minuti. A un certo punto bussarono alla porta. Non poteva che essere Angela. Invece si trovarono don Sestilio su tutte le furie: «Ma vi pare normale fare aspettare la sposa? Venite subito in chiesa!» disse il parroco fuori dalla grazia di dio.

Il Biondo arrivò all'altare portato per mano dal prete come un ragazzino in castigo. Era talmente addormentato da sembrare emozionato. Tutti, in realtà, guardavano con diffidenza lo zio Riccardo perché sapevano che dietro quella serata al night c'era il suo zampino. Ma la più affranta era Emma: Angela, alla fine, non era arrivata, e nella concitazione generale il fatto era passato piuttosto inosservato.

Con la sua camicetta bianca e i pantaloni neri, Emma era la personificazione della sconfitta. Di fianco a lei, neppure Mila riusciva a tirarla su: «Pensa che mia zia è vedova da tanto tempo e non si sposerà mai più».

La sua casa era sempre più vuota e lei sempre più sola. Quando lo zio, durante il segno di pace, allungò la mano fino a lei, Emma lo abbracciò così forte che in chiesa partì addirittura un applauso. Solo il Pipan sembrò intuire cosa passasse nella testa della ragazzina. Quando all'uscita della messa le chiese che cosa avesse, per la prima volta, a tredici anni, lei rispose semplicemente: «Voglio la mamma».

18

Dopo le nozze del Biondo, Emma iniziò a guardare di cattivo occhio tutte le fidanzate dello zio Riccardo, anche se ne cambiava una ogni due settimane. Se però una ragazza ricompariva, spesso aspettandolo all'angolo di via san Cipriano, lei andava in crisi.

Per fortuna aveva i tuffi: era l'unica ragazza che sapeva fare il "kami ritornato", che per lei valeva più degli esami di terza media. Per non parlare della corsa, in cui era davvero portata.

Ogni volta che vinceva una gara, il nonno la portava al bar Stella e chiamava sua figlia a Bassano: «Angela! La ragazza ha vinto un'altra medaglia!» e sua madre le chiedeva che regalo volesse. «Ma tu quando torni?» le domandava puntualmente, e sua madre le rispondeva solo: «Un giorno». *Quel* giorno era quasi sempre il suo compleanno, quando Angela si presentava in città come la zia d'America. Ferruccio, anche se l'accompagnava, aveva deposto le armi e messo da parte ogni possibilità di fare le veci del padre.

Emma, non riuscendo a ottenere il miracolo chiesto a don Sestilio, continuava nei suoi tentativi maldestri di assumere atteggiamenti maschili. A volte le sembrava che ogni sforzo fosse inutile, allora si sdraiava sugli scaloni della chiesa appoggiando la testa sul pallone.

Verso la fine di febbraio, quando non è più inverno e non è ancora primavera, e anche il cielo di Trieste non sapeva prendere posizione, lo zio Riccardo la trovò con gli occhi all'insù rientrando a casa.

«Mi dici cosa c'è?»

«Niente.»

«Allora perché non giochi?»

«Perché tanto a cosa serve. Nessuno mi vuole bene, neanche voi che vi sposate e mi lasciate sola.»

«Ma non è vero. Io non mi sono ancora sposato. Allora, cosa è successo?»

Emma non aveva più niente da perdere, per cui decise di parlare.

«A scuola oggi mi hanno cacciato dal bagno delle femmine. Dicono che se voglio fare il maschio devo andare nell'altro bagno.»

«E chi è stato?»

«Una mia compagna. Proprio oggi che Mila aveva la visita dal dentista.»

«Sarà invidiosa. Perché tu non hai paura di andare nel bagno dei maschi, vero?»

«A me piacerebbe! Ma la pipì in piedi non riesco proprio a farla.»

«Allora è invidia. Guarda me. Io piaccio tanto alle *mule* e gli altri ragazzi mi invidiano e vorrebbero essere come me. Solo che io sono grande e grosso e nessuno mi tocca. Senti qua i muscoli dello zio.»

Emma toccò il bicipite e si sentì orgogliosa di essere parte di quella famiglia.

«Io non voglio che tu mi difenda. Io voglio essere come gli altri.»

Riccardo non sapeva più cosa dire.

«Se potessi non essere qui, oggi, cosa vorresti fare?»

«Vorrei andare al mare.»

«Ma al mare oggi è brutto... e tra un po' viene *neverin.*»

«Magari! Mi porti fuori in barca se arriva?»

Emma amava il *neverin,* quel maltempo improvviso che porta acqua e vento dal mare.

«Non posso perché ti voglio bene e il *neverin* fa paura anche a me. Non hai un altro desiderio?»

Emma ci pensò un attimo.

«Vorrei essere Fonzie!»

«Fonzie di "Happy Days"?»

Emma fece il pollice in su dicendo «Ehi!».
Lo zio decise così di portarla in via Ghega, al tempio dei jeans. Conosceva una delle ragazze che servivano lì, ma non trovarono nessun giubbotto di pelle. Si spostarono al mercato di piazza Ponterosso dove a quell'ora c'era una fiumana di jugoslavi pronti all'assalto di jeans, le donne con i gonnelloni sotto i quali nascondere la merce per non dichiararla alla frontiera.

Quella piazza rappresentava un crocevia di mondi che avevano un unico sogno in comune: l'Occidente. E l'Occidente erano i jeans, il territorio di Pasquale, e Riccardo lo sapeva. Si avventurarono vicino al canale, sperando di trovare qualche banco un po' più fornito: Emma guardava quella gente e le sembravano extraterrestri tanto erano diversi da loro, soprattutto negli sguardi: osservavano quei pantaloni come se non avessero mai visto nulla di simile. Indossandoli, erano convinti di poter evadere dalla miseria della loro realtà.

Nessuna donna incrociava gli occhi di Riccardo, tanto erano concentrate a controllare i prezzi e le taglie. L'aria aveva un odore strano, un mix tra quello di un armadio chiuso da tempo e l'acqua salmastra. Dopo un'attenta ricerca, lo zio trovò un banco che vendeva anche vestiti in pelle.

«Vorremmo un giubbotto per la mia nipotina Emma Fonzarelli» disse indicando la ragazzina a quel signore che lo riconobbe subito come il fratello playboy di Angela. Aveva solo taglie per adulti ma gli venne in mente che c'era ancora un giubbotto da maschio. Mentre lo cercava, continuava a fissare Emma. Gli occhi gli ricordavano qualcuno.

Così, mentre lei provava il giubbotto e ritrovava il sorriso, l'uomo cominciò a fare qualche domanda a Riccardo.

«È tua figlia?»

«No, ma è come se lo fosse... l'ho cresciuta io.»

«Perché è senza genitori?»

Riccardo era abituato alla curiosità che la storia di sua nipote suscitava ogni volta.

«Ha solo la madre, che però vive fuori, in Veneto.»

«Si chiama Angela, vero?»

Emma interruppe il discorso spuntando da dietro le tende con il giubbotto addosso e fece: «Ehi!».

Riccardo le sorrise e le disse di togliersi velocemente il giubbotto che stava per arrivare il *neverin*. E mentre lei si cambiava nel retro improvvisato di un furgone, confermò che era figlia di sua sorella.

«E tu come sai che è figlia di Angela?»

«Perché sono il cugino di Pasquale. Lui me ne ha parlato tanto, e più di una volta mi aveva indicato chi eri, quando ti abbiamo visto al porto. Sapevo che tua sorella se n'era andata, ma lui la vuole rivedere. E vorrebbe vedere anche la bambina.»

Emma li interruppe di nuovo ancora con il giubbotto addosso – le piaceva troppo – e lo zio Riccardo pensò che quella ragazza meritava una vita migliore. Così le regalò anche un cappello. Il cugino di Pasquale li lasciò andare senza farli pagare. In cambio, gli chiese solo di riferire ad Angela cosa si erano detti.

Quella sera Riccardo aveva invitato Emma al cinema insieme allo zio Coccolo e allo zio Biondo, ciascuno con le rispettive mogli. Anche lui avrebbe portato una ragazza che frequentava da poco e che non vedeva l'ora di uscire con lui.

Emma non poteva credere che la facessero andare al cinema con loro vestita da Fonzie. Prima, però, Riccardo scese al bar Stella per chiamare sua sorella. Malgrado le insistenze, il Pipan si rifiutava di mettere un telefono in casa: «Gli austriaci non avevano telefono e sono vissuti benissimo senza». E visto che le bollette le pagava sempre lui, nessuno poteva contraddirlo.

«Angela, sono Riccardo.»

«Ciao fratello, è successo qualcosa? Emma sta bene?»

«Sì, sì. Anche se le manchi.»

«...»

«Angela, ci sei?»

«Sì, sono qui. È che sono un po' impegnata.»

Non era vero, ma Angela pensava che fosse meglio fuggire ogni volta che la chiamavano da Trieste.

«Senti. Oggi sono tornato al mercato di piazza Ponterosso.»

Lei capì subito che stava per riaprire una ferita mai chiusa, ma restò immobile in attesa.

«Ho incontrato il cugino di Pasquale e mi ha detto che lui vorrebbe vederti. Potevo evitare di fartelo sapere, ma so che preferisci così.»

Riccardo mise giù di fretta, lasciando sua sorella basita, sollevato di averle detto ciò che non voleva nasconderle. Così si preparò per andare al cinema con i fratelli e la nipote. Scelsero *Paradise*, che non era proprio il film più adatto a Emma, anche se conosceva la canzone.

Il cinema era affollato solo da coppie in cerca di intimità, e lei se ne rese conto dopo un po' che il film era iniziato. Perché lentamente, come in un effetto domino, dopo i titoli di testa tutti avevano iniziato a baciarsi.

Il primo era stato lo zio Biondo, che per farsi vedere da Riccardo si era fiondato come un polipo sulla mogliettina. Anche il Coccolo, per emulazione, iniziò a baciare sua moglie. A quel punto anche lo zio Riccardo iniziò a baciare la ragazza del momento.

Emma si teneva il cappello da Fonzie sulla testa e dopo poco si ritrovò circondata dai baci.

Si baciava Phoebe Cates sullo schermo con Willie Aames.

Si baciava lo zio Riccardo con la moretta.

Si baciava lo zio Coccolo con la bionda.

Si baciava lo zio Biondo con la riccia.

Si baciavano nelle file dietro.

Si baciavano in quelle davanti.

Emma avrebbe voluto baciare qualcuno anche lei, non sapeva chi. L'unico ad accorgersene fu lo zio Riccardo che, appena capì la situazione, interruppe il suo momento di seduzione e si dedicò alla nipote. Le abbassò il cappello sulla faccia e le disse: «Ricordati che sei Fonzie!», e tenendola abbracciata per tutto il tempo si guardò il film insieme a lei. Ogni tanto ridevano, e lui le appoggiava la mano sugli occhi per non farle vedere scene troppo esplicite. A osservarli da lontano, sembravano due fidanzatini. E mentre tutti si baciavano, lei e lo zio dicevano «Ehi» toccando i loro pollici uno contro l'altro, davanti agli occhi perplessi della ragazza dello zio Riccardo: l'unica che, insieme a loro, quella sera guardò il film.

19

Dopo la telefonata di Riccardo, Angela aveva in testa un unico obiettivo: rivedere Pasquale. Se c'era ancora una chance di poter cambiare il suo futuro doveva muoversi. Così chiamò l'unico sempre informato sui fatti: Jure del bar Stella.

Gli disse semplicemente che lei sarebbe tornata a Trieste la settimana seguente e di spargere la voce.

Appena accennò a Ferruccio che sentiva il bisogno di rivedere Emma, lui rispose «vengo anch'io» con il tipico tempismo degli innamorati insicuri.

«Perché vuoi venire?»

«Perché sono tuo marito. Anche se alla fine non ho adottato la bambina, mi piacerebbe comunque vederla, cercare di costruire un rapporto con lei.»

«Ma io ho bisogno di stare un po' con la mia famiglia.»

Ferruccio ebbe una strana sensazione, ma decise di non insistere. In fondo amava Angela proprio perché era inafferrabile. La vedeva serena solo quando andava a giocare a bridge con la sua amica, l'unica con cui tornava a casa ridendo.

E Gilda fu l'unica a conoscere la ragione di quella fuga a Trieste: «Stai attenta o ti farai male» le aveva detto, ma gli amici in certi casi servono solo a non essere ascoltati.

Appena Jure diffuse la notizia, gli zii andarono dal barbiere e si ricompattarono con tanto di mogli, perché quando riappariva Angela tornava la felicità, e questo effetto non se lo spiegavano neanche loro. Il Pipan aveva aperto l'ennesima bottiglia di Pelinkovac e spolverato personalmente il ritratto di Francesco Giuseppe.

Nerina aveva deciso che per cena avrebbe preparato la *jota*, la zuppa di fagioli e crauti delle grandi occasioni. E pazienza se era primavera: «ci sono piatti che vanno bene in ogni stagione». Emma non sapeva bene cosa fare, così aveva iniziato a correre. Poi era andata ad avvisare don Sestilio e Mila. Insomma, quando Angela arrivò in via della Bora, ebbe un'accoglienza degna di Maria Teresa d'Austria, tranne per la solita faccia perplessa della moglie di Primo.

Il Pipan, complice l'amaro, iniziò a cantare «*La se mbriaga de whisky e de marsala*» e gli zii a battere le mani. Sembravano vivere in un'altra epoca.

Quando vide quel clima caloroso, Angela ebbe un moto di commozione. In fondo, quella famiglia sgangherata aveva messo le toppe a tutti i casini che lei aveva combinato.

Emma invece era rimasta al ricreatorio per aiutare Mila a prepararsi alle gare di salto in alto. Non voleva farsi vedere impaziente anche perché era terrorizzata che alla fine lei non venisse. Invece, quando dalla strada sentì il suono della musica e il tintinnio dei bicchieri, capì che quella festa era anche per lei.

Per fare contenta la mamma, aveva persino indossato una gonna prestata dalla sua amica, sebbene fosse lunghissima. Così spalancò la porta e si guadagnò una specie di ovazione.

«Ma guardate che principessa abbiamo con noi...» disse lo zio Riccardo.

«Su, vai a salutare la mamma!»

Angela la guardò felice. Ogni volta che la rivedeva, era come se entrasse in una specie di trance affettiva che annullava il tempo, i rimorsi e le distanze.

«Come sei cresciuta, sei diventata signorina» le disse, ed Emma si illuminò in un sorriso. «Sei pronta per l'esame di terza media?»

«Non me lo dire che ho troppa paura.»

«Sei così coccola. Vedrai che andrà bene.»

Lo zio Riccardo la guardava e le faceva «ehi» e a lei veniva in mente quel cinema in cui tutti si baciavano e lei e lo zio ridevano come pazzi.

Riccardo, appena fu solo con sua sorella, la portò in camera sua.

«Guarda che Pasquale è qui da ieri. Lo hanno visto, ti cercava.»

Angela si sforzò di stare calma. Era talmente contenta che non riusciva a parlare.

«Forse non dovevo dirtelo... ma sapevo che così saresti venuta a trovare Emma.»

«Ma io... veramente... Emma sarei venuta a trovarla lo stesso...»

«È da un sacco che non ti fai vedere. Poi ti dico che Pasquale ti cerca e corri subito. Credi che sia scemo? Sei mia sorella.»

«Sono la tua parte cattiva, vero?»

«Siamo tutti e due cattivi.»

Angela restò sorpresa, ma nemmeno più di tanto. Dopo poco Emma comparve sulla soglia.

«Che ci fai qui, piccola?»

«Voglio vedere dove sistemi il tuo letto.»

«Tu dove vorresti che stessi?»

«Qui accanto a me.»

«Allora staremo solo noi due come grandi amiche.»

Emma cominciò a saltare da una parte all'altra della camera, tanto da far vibrare tutto il soffitto della cucina.

A una certa ora, gli zii mandarono a casa le mogli e andarono tutti insieme da Libero a tirare tardi, mentre Angela provò a fare la mamma. Quella sera, per la prima volta, raccontò a Emma del Brenta: «Un giorno ti spiegherò perché sono andata a lavorare lontano da qui... ma devi sapere che anche quando tu non mi vedevi io sapevo che tu c'eri, come stavi, cosa facevi. Lo zio Riccardo mi racconta sempre di te, conosco tutti i risultati delle tue corse, i tuoi tuffi, i voti a scuola. E così, appena potevo io guardavo il fiume e ti mandavo dei baci attraverso l'acqua. Sapevo che il mare e il vento li avrebbero portati fino a te».

Emma pensò che sarebbe stata la persona più felice del mondo se ogni sera si fosse addormentata così. Quella che lei chiamava felicità, per i suoi compagni era la vita di tutti i giorni.

Al mattino, dopo aver accompagnato sua figlia a scuola, Angela tornò al bar Stella per sapere se c'erano notizie di Pasquale, e lo trovò lì.

Seduto al suo tavolo, come l'ultima volta, che l'aspettava dalla mattina bevendo un caffè dietro l'altro.

Si guardarono per un tempo che non avrebbero saputo quantificare, tra il sospeso e l'indeciso, tra la stretta di mano gelida e un abbraccio caldo. Erano due opposti che non erano mai riusciti a comunicare veramente, ma che non potevano stare lontani.

Angela era meno sorpresa dell'ultima volta, e lui più padrone della situazione. Le andò incontro sorridendo, e la invitò a uscire.

In fondo, a Trieste non c'erano più la moglie e i parenti di Pasquale, per cui potevano anche girare senza correre rischi particolari. Jure, per una volta, non si intromise e li vide allontanarsi verso piazza Unità. Un accenno di bora sembrava accelerare i loro passi, o forse gli stava dando il benvenuto. Pasquale era tentato di fermarsi all'Harry's Bar ma Angela preferì di no. Era stata ferma per anni e ora preferiva affrontare la realtà camminando. Lui provò a prenderle la mano, ma lei gliela spostò sotto il braccio, in quella strana forma di confidenza che è più vicina all'amicizia che all'amore.

Quel contatto fece bene a entrambi, e si avviarono lentamente verso il mare. I gabbiani sembravano impazziti e risalivano dalle Rive verso la città. Si sedettero su una panchina proprio in corrispondenza di una delle famose "sette chiese", quella greco-ortodossa, che Angela aveva visitato quando era incinta. E fu proprio di Emma che Pasquale voleva parlarle.

«Non ho capito perché, dopo che me ne sono andato io, te ne sei andata anche tu. L'altra volta non siamo riusciti a parlare, invece vorrei saperlo.»

Lui arrivò subito al punto, lei avrebbe preferito una domanda meno impegnativa ma fu costretta a rispondere.

«Ero troppo giovane e troppo innamorata. E me ne sono andata con il primo che è passato.»

«E la bambina?»

Anche lui la chiamava "la bambina".

«Volevo dimenticarla, ma i figli non li dimentichi. Anche quando pensi di esserci riuscito ti appaiono all'improvviso, o li incontri tra la gente, o se vedi una ragazzina pensi che abbia la stessa età della tua. Anche tu non te la sei scordata.»

«Infatti sono tornato. Volevo vedere te e vorrei vedere lei.»

«In che senso vuoi vederla?»

«Mi piacerebbe incontrarla. Sentire come parla, vedere che tipo è, sapere se ha delle amiche e un fidanzatino, se si è già ubriacata una volta.»

Angela lo guardò esterrefatta. Era come se avesse fatto un lungo viaggio, e si fosse accorta a destinazione di aver lasciato i bagagli a casa e non avere più vestiti. Pasquale le indicò un gabbiano che continuava a volteggiare sulle loro teste.

«E quindi adesso cosa vorresti? Farle un interrogatorio?»

Pasquale iniziava a sentire una vaga inquietudine. Angela non gli dava più corda e sembrava sicura di sé. In realtà, era completamente persa, così come gli avvertimenti di Gilda erano svaniti davanti a quel mare calmo.

«Ti confesso che ho trovato il coraggio di venire per lei.»

I toni stavano cambiando, e anche il ritmo del discorso. Ogni parola aveva un peso preciso e veniva pronunciata con attenzione. Angela si alzò e gli pose una domanda guardando le barche ancorate nella baia.

«Perché ci tieni tanto?»

«La verità è che, dopo il figlio maschio, avremmo voluto dargli una sorellina... ma non è arrivata. E così ho iniziato a sognarla, e a volte mi sveglio di soprassalto in piena notte. Mia moglie dice che devo farmi vedere da un bravo medico.»

La parola "moglie" fece di nuovo precipitare le speranze di Angela, che era sempre più in confusione. Sapeva solo che lei per quell'uomo avrebbe continuato a fare stupidaggini.

«E se avessi avuto un'altra figlia, di questa non ti saresti più interessato?»

«Non sono così egoista.»

«Io comunque dovrei prepararla, e francamente non me la sento. È una ragazzina.»

Pasquale però ormai si era messo in testa quell'idea e non voleva mollarla.

«Ma io domani devo tornare giù. Mi basterebbe vederla e scambiarci qualche parola. Mi immagino sempre di aspettarla all'uscita di scuola. Perché non mi vuoi aiutare?»

«Perché dovrei farlo?»

«Perché tanto abbiamo già perso.»

Lei sentì la terra tremarle sotto i piedi e quel mare calmo non la rassicurava più.

«Okay, se vuoi vieni a vederla all'uscita da scuola. È talmente abituata a conoscere persone diverse che non dovrebbe avere strane reazioni.»

«Non so se essere contento di questo.»

«Tu e io non abbiamo alcun diritto su questa ragazzina.»

Su quell'amara constatazione si trovarono d'accordo. Così Angela, senza esserne troppo convinta, si fece accompagnare da Pasquale fuori dalla scuola, chiedendogli di restare in macchina in attesa di un suo cenno. Poi si mise davanti al cancello assieme a poche altre madri. Lei era sempre stata fuori tempo.

Emma salutò Mila che l'abbracciò forte – «beata te che una madre ogni tanto ce l'hai» – e le corse incontro, e Angela allargò le braccia perché lo aveva visto fare in *Kramer contro Kramer*.

«Sei contenta che sono venuta a prenderti?»

«Sì... così ora che i miei compagni ti hanno visto non potranno più dire che non esisti.»

«Ma tu non gli devi dare retta.»

Angela prese un attimo di tempo mentre Pasquale, seduto al

volante della sua Alfetta, le faceva un cenno. Lei ebbe una strana sensazione.

«Chi è quel signore che ci guarda?»

«È un mio amico di un po' di tempo fa... te lo voglio presentare...»

«Sì, ma tu mi vuoi sempre presentare qualcuno.»

«Lo so, ma è una persona davvero importante... ti piacerà.»

Emma non sembrava convinta ma non voleva nemmeno contraddire sua madre.

Quell'uomo si avviò sorridente verso di lei.

«Non avere paura, Emma. Questo signore ti vuole bene, e ti vuole parlare.»

Lei voleva semplicemente stare con sua mamma, ma Angela quel giorno desiderava a tutti i costi che lei conoscesse quell'uomo che la stava fissando mettendola a disagio.

«Sei uguale a me» le disse lui mentre le stringeva la mano. «Io sono il famoso Pasquale.»

Lei lo guardò perplessa e lui ci rimase male. In fondo, pensava che pronunciando il suo nome la bambina avrebbe avuto una minima reazione. Guardò Angela in cerca di aiuto, ma anche lei non sapeva cosa fare. Nessuno dei due conosceva minimamente Emma. Per una volta erano tutti e tre insieme, uniti dal sangue ma separati dal cuore.

«Dài, saliamo in macchina e andiamo a farci un giro» suggerì Pasquale per togliersi da quella situazione, ed Emma guardò Angela.

Pasquale non era più tanto pratico di Trieste, per cui iniziò a girare a caso, mentre Angela pensò di affrontare subito il discorso.

«Ti ricordi, Emma, che ti ho presentato sempre Ferruccio come il tuo papà...»

«Sì, ma io non lo voglio.»

«In effetti... forse avevi capito che lui non è il tuo vero papà. Il tuo papà è questo signore che si chiama Pasquale ed è venuto apposta per conoscerti dalla Calabria.»

Lui le fece l'occhiolino dallo specchietto, ma Emma finse di non vederlo.

«Non sei contenta di conoscerlo?»

Emma non diceva nulla, né sì né no. Non capiva e non voleva capire. Non le veniva né da sorridere né da fare domande, semplicemente voleva scendere dalla macchina.

«Allora, Emma... non hai nulla da dire?»

«Vorrei una macchina fotografica.»

Quella risposta li spiazzò ma al tempo stesso li tolse da una situazione scomoda.

«Allora andiamo subito a comprarne una. Vuoi fare la fotografa?»

«No, voglio solo la macchina fotografica.»

«E come la vuoi?»

«Arancione.»

Pasquale quindi si mise subito a chiedere informazioni sul negozio migliore del centro, mentre Emma era sempre più a disagio. Si sentiva non compresa da sua madre, che era andata a trovarla e poi, anziché stare con lei, le presentava altre persone che non le interessavano.

Arrivarono da Seboflex in via Mazzini, dove il signor Segulin provò ad accontentarla: «Ci spiace ma arancioni non ne abbiamo. Ma ce ne sono di altri colori».

«Io la voglio solo arancione» rispose Emma, che a quel punto aveva deciso di farsi valere, e il capriccio era l'unico modo che conosceva per chiedere aiuto. Ma i suoi genitori non la capivano, e anzi si rimisero in pellegrinaggio con lei alla ricerca di un altro negozio. Dopo inutili giri, fu Pasquale che a un certo punto le disse: «Perché è così importante che sia arancione? Torniamo da Segulin e la prendiamo azzurra, che dici? Così facciamo contenta la mamma».

Emma era infastidita dalla confidenza che questo signore si stava prendendo, e parlava di sua madre come se la conoscesse meglio di lei. Per cui, per toglierselo di torno, disse «va bene» senza alcun entusiasmo. Era diventata apatica e rispondeva a monosillabi.

E visto che continuava a non aprire bocca, Angela volle fare un ultimo tentativo: «Perché non andiamo a mangiare una pizza?».

Emma rispose nuovamente «va bene». Voleva fare in modo che tutto passasse in fretta. Arrivarono in una pizzeria vicino alla stazione, intorno alle sette e mezzo, e si sedettero in un angolo che, se fossero stati felici, sarebbe stato perfetto. Potevano vedere tutta la sala da un punto privilegiato.

Davanti al menu Emma era completamente assente. Lei che di solito aveva sempre fame continuava a non parlare. Angela cercò di affrontare al meglio la situazione e, anziché capire che quella sera era meglio tacere, scelse di dirle la verità: «Vedi, figlia mia, quando tu eri piccola, tuo papà non mi poteva sposare come fanno tutti i fidanzati, perché aveva un'altra fidanzata che lo aveva visto prima di me. E così... tu sei rimasta sola con me. Però quando eri piccola io sono dovuta andare a lavorare lontano da Trieste...».

Emma non guardava né sua madre né suo padre. Ascoltava ogni cosa ma non voleva memorizzare nulla. Fissava il suo piatto vuoto che presto venne occupato da una pizza margherita fumante. Pasquale le fece cenno di cominciare a mangiare.

La ragazzina, finalmente, sembrò reagire. Guardò negli occhi suo padre, poi guardò sua madre, poi guardò la pizza. E cominciò a piangere.

Un pianto così educato e silenzioso da non poter nemmeno essere messo a tacere. Nessuno, in quel ristorante che aveva iniziato a riempirsi, si era accorto di lei. Solo i suoi genitori assistevano impotenti a quella valle di lacrime che si riversava su pomodoro e mozzarella.

Angela e Pasquale, in balia dell'inesperienza, si sforzavano di mangiare per dare un senso di normalità al disastro che avevano appena combinato. Emma non toccava nulla. I camerieri intuirono che c'era qualcosa di anomalo nel pianto di quella ragazzina, che a un certo punto disse soltanto: «Portatemi dai nonni».

20

Poco prima degli esami di terza media, quando ormai la maggior parte dei triestini mostrava i primi segni del costume, Emma si rese conto di non poter più nascondere le sue tette. Erano talmente grandi da essere inevitabili.

E anche se da sempre era stata abituata a stare con i suoi zii, dovette cominciare a fare i conti con il suo corpo e con gli occhi dei ragazzi, che avevano iniziato a puntarla.

A differenza delle compagne, Emma dei maschi non aveva alcuna paura, anzi: sapeva relazionarsi e non temeva i loro toni volgari, ma le sue tette le stavano facendo capire che "fare il maschio" non le era servito a niente. Sua madre era di nuovo sparita a Bassano e lei non aveva ancora capito chi fosse suo padre. Aveva mollato il calcio e si era buttata sulla pallavolo. E anche se il campionato era quasi finito, era diventata subito una star del ricreatorio: la Mimì Ayuhara di San Giusto.

Ovviamente era come sempre fuori luogo in ogni situazione: anche la più bella della classe praticava lo stesso sport e cercava di metterle il bastone tra le ruote, ma Emma amava la competizione. Ogni tanto veniva a vederle un gruppo di ragazzini, capitanati da Giovanni detto "Nisi", che era un po' il fighetto della compagnia e "il figlio della UniversalTecnica", il negozio di elettrodomestici più importante di Trieste. Aveva sedici anni, tutti gli agi che un ragazzo potesse immaginare, e cambiava una ragazza a settimana. A Emma ricordava lo zio Riccardo.

Un giorno, alla fine di un'amichevole, Nisi le si avvicinò e si presentò, ma lei non era soddisfatta di come aveva giocato e non lo guardò nemmeno. Questa indifferenza lo colpì: abituato ad avere sempre ai suoi piedi ragazze sorridenti, si ritrovò con questa specie di amazzone che bofonchiò a malapena «ciao» e se ne andò.

Il giorno dopo, Emma vide Nisi scendere a tutta velocità sul motorino in via della Bora. E così, d'istinto, gli fece un fischio.

Lui frenò di colpo.

«Perché fischi come i maschi?»

«Perché io faccio come mi pare. Non è perché hai un negozio che passi davanti a casa mia a tutta velocità, hai capito? E se usciva mia nonna?»

Nisi restò colpito da quella reazione, ma gli veniva anche da ridere.

«Ah già che sei quella che vive con i nonni.»

«Sì, perché mia mamma lavora a Bassano.»

«E non viene a trovarti?»

«Se glielo chiedo, sì.»

Emma si rese conto di ciò che aveva appena detto, e le venne un'idea. Poteva invitarla a vederla giocare a pallavolo: era l'occasione giusta per mostrarle che faceva uno sport da femmina.

«Allora falla venire sabato per la partita contro il ricreatorio di San Giacomo.»

«E come fai a saperlo?»

«Noi sappiamo sempre dove giocano le belle ragazze.»

Emma si sentì per la prima volta corteggiata, e guardò quel ragazzo incuriosita.

«Senti, Emma, ma cosa fai dopo?»

«Sto a casa.»

«E domani?»

«Domani boh.»

«Ma non hai allenamento?»

«Sì.»

«Allora domani ti accompagno io con la moto.»

Stavano ancora parlando quando Nerina uscì di casa e li vide. Appena riconobbe il ragazzo di UniversalTecnica, disse a Emma di rientrare immediatamente.

«Ma sai che lui non è battezzato?»

«No.»

«E sai che i suoi sono comunisti?»

«No.»

«E che vanno nei campi nudisti?»

«Ma nonna... l'ho appena conosciuto ed è così coccolo.»

Fu il Pipan a intervenire.

«Nerina, non fare troppe storie. Gli austriaci stavano sempre nudi. Anch'io una volta sono stato in uno di quei campi... loro hanno capito tutto, dai retta a me... si abbronzano senza il segno del costume, non come noi al Pedocin.»

Nerina non seppe cosa dire, ed Emma ne approfittò per andare in camera a studiare un po' di matematica, anche se pensava solo a quel ragazzo. Non aveva idea di cosa fosse l'attrazione, conosceva solo la competizione, e il fatto che Nisi fosse desiderato dalle sue compagne di squadra lo visse come uno stimolo alla conquista.

Il sabato portò un sole caldo e in teoria avrebbe dovuto portare Angela. Come al solito i suoi fratelli si eccitarono per il suo arrivo, e ognuno avrebbe voluto fare un tuffo con lei, ma a Emma interessava solo che sua madre andasse a vederla giocare. Fu Riccardo a tranquillizzarla: «Appena arriva veniamo subito al ricreatorio».

Emma era così tesa per l'incontro che arrivò a San Giacomo a piedi. Il ricreatorio quel giorno era affollato come un palazzetto dello sport. L'allenatore chiese alle compagne di dare il massimo perché Emma potesse schiacciare al meglio.

La partita ebbe inizio ma lei aveva occhi solo per le tribune. Cercava sua madre. Ogni volta che intravedeva una bionda sperava che fosse lei, e invece trovava solo la testa di Mila che spuntava tra tutte e le faceva segno di stare tranquilla. Cercava di non perdere la concentrazione e di fare punti. Ma durante il time out, anziché ascoltare l'allenatore, continuava a spiare il pubblico sugli spalti.

La sua squadra stava vincendo alla grande ma, incredibilmente, Emma iniziò a giocare male. Commise anche un doppio fallo. A un certo punto, le avversarie batterono proprio su di lei. Avendo però gli occhi sempre sul pubblico, il pallone la colpì in faccia. Cadde malamente, e cominciò a uscirle un po' di sangue dal naso. Dovette lasciare il campo ed essere sostituita, per la gioia della più bella che ebbe la scena tutta per sé.

Angela, nel frattempo, non era arrivata, mentre Emma aveva terminato il match a bordo campo, con la borsa del ghiaccio sul naso. Dopo una dura lotta, le ragazze dovettero soccombere al San Giacomo. E mentre tutte le compagne la guardavano con rabbia – la più bella in primis – Emma sentì una mano appoggiarsi sulla sua spalla.

«Fino a che hai giocato, sei stata la migliore.» Era Nisi, che le porse la mano e l'aiutò a tirarsi su. «A casa ti riporto io.»

Appena aprì la porta, la prima persona che vide fu lo zio Riccardo: «Oh, finalmente sei arrivata! Com'è andata la partita?».

«Se fossi venuto con la mamma l'avresti saputo. Abbiamo perso.»

«Purtroppo la mamma non è venuta. Sono rimasto ad aspettarla alla stazione e ho fatto tardi anch'io. L'ho poi chiamata a casa, e ha detto che non si sentiva bene. Però vorrebbe portarti qualche giorno in camper con loro.»

Emma era piuttosto incredula.

«Per andare dove?»

«È una sorpresa. Viene a prenderti con Ferruccio e andate via qualche giorno. Non sei contenta?»

«No. Io non lo conosco e ho altro da fare.»

La risposta ebbe un'eco strana in cucina, e tutti per un attimo si fermarono a guardare il Pipan – in particolare Riccardo – ma lui andò dritto per la sua strada.

«Allora non andrai in camper. Se tua madre ha qualcosa da dire, ci penso io a risponderle. E se tu Riccardo non sei d'accordo, a me non interessa.»

Emma gongolava. Finalmente qualcuno che la capiva e – fondamentale – all'improvviso ebbe la sensazione di poter vivere anche senza l'idea di sua madre.

Salì in camera soddisfatta, si spogliò e si guardò davanti allo specchio senza imbarazzo. Quelle tette ormai le piacevano. I capelli erano ancora troppo corti, ma non si può diventare donna da un momento all'altro.

Quando alle sette in punto arrivò Nisi in moto e fece suonare la marmitta, Emma si rese conto che doveva comunque chiedere il permesso di uscire. La nonna aspettò che il Pipan rispondesse.

«Ho capito che il ragazzo non è battezzato... ma mica se la deve sposare! E anche se vanno nei campi nudisti non fanno male a nessuno.»

Lo zio Coccolo passò a trovarli proprio in quel momento.

«Abbiamo cambiato televisore, dato che qui fuori c'è il figlio di UniversalTecnica?»

«Ha invitato Emma a casa sua.»

«Ma non sono quelli che vanno nei campi nudisti?»

Il Pipan iniziò a perdere la pazienza.

«Ma cosa ho fatto, dei figli bigotti? Dài Emma, vai subito.»

Emma uscì con il terrore che Nisi se ne fosse già andato. Invece la stava aspettando con una sciarpa tricolore.

«Sai perché mi piaci, eh? Perché non ti metti mai la gonna anche se hai delle belle gambe.»

Emma venne colpita e affondata in un istante. In realtà, Nisi era un seduttore. Aveva sedici anni, ci sapeva fare, era arrapato e benestante, per cui aveva poche insicurezze.

Viveva in una casa molto grande, ma a Emma rimasero impresse soprattutto alcune cose: il primo divano ad angolo che avesse mai visto, una foto incorniciata dove erano tutti nudi, e poi la frase detta dalla mamma di Nisi: «Ragazzi, se volete andare a rilassarvi in camera, andate pure. Noi tanto siamo invitati da amici».

Nisi prese Emma per mano e la condusse nella sua stanza. Dai discorsi che aveva sentito dalle sue compagne, nessuna ragazza andava a casa dei ragazzi, né tantomeno in camera.

«Stai tranquilla, Emma... mia madre non viene mai a controllarmi. Sai, noi siamo comunisti e siamo cresciuti così: liberi. D'estate andiamo sempre in Jugoslavia in campeggio.»

«Ma veramente andate tutti nudi?»

«Sì, anche se ci sono certi vecchi... devi vedere che piselli.»

«Dài, smettila!»

Emma era sorpresa, ma nemmeno più di tanto. In fondo aveva sempre visto i suoi zii girare in camera senza vestiti e conosceva molto meglio il corpo maschile di quello femminile. Iniziò a salirle una strana paura però, e masticava un Big Babol con un certo nervosismo. Nisi abbassò la tapparella per creare un po' di penombra, mise su il 45 giri del *Tempo delle mele*, le chiese «hai visto il film?» e prima che lei rispondesse «no» aveva già avvicinato la bocca alla sua per baciarla, ma Emma lo respinse brutalmente.

«Cosa c'è, non ti va di baciarmi?»

«Sì, ma...»

«Ma?»

«Ho la cicca in bocca.»

Nisi scoppiò a ridere e si rese conto che quella ragazzina tanto brava a pallavolo era davvero inesperta.

«Quindi se hai la cicca non mi baci? Mettila qui.»

Le avvicinò il cestino ed Emma disse addio alla gomma con un certo rammarico. Sapeva di non avere più scuse. Nisi si fiondò su di lei e la baciò. Dopo un po', con la sua solita abilità nelle attività fisiche, era pronta a partecipare al "campionato nazionale di limonata". E mentre nelle sue orecchie Richard Sanderson le cantava *Dreams are my reality*, Emma guardò Nisi e pensò che anche i nudisti si baciano vestiti.

IV

21

Dopo il rifiuto di Emma ad andare in camper con sua madre e Ferruccio, i due per molto tempo non avevano più osato invitarla, riducendo anche le loro visite a Trieste. Ma su suggerimento di Gilda, che vedeva sempre più lontano dello sguardo miope della sua amica, una volta Angela chiese a sua figlia di andare a trovarla a Bassano. Ed Emma rispose sì.

Quando giunse il fatidico giorno, Angela trascorse la mattina nella Bottega del Baccalà in preda al nervosismo: sbagliava a dare i resti, confondeva le sardine sotto sale con quelle sott'olio, non capiva mai di chi era il turno in coda.

Anche Emma era inquieta man mano che si avvicinava alla meta. In quegli anni, anche se non ne era del tutto consapevole, aveva continuato a cercare l'approvazione di sua madre. Così, dopo le medie, anziché inseguire il suo desiderio di diventare cuoca, si era iscritta alla scuola di parrucchiere perché ad Angela sarebbe tanto piaciuto che lei lo diventasse.

Essere coiffeuse, per Emma, era un ulteriore passo per farsi accettare, oltre a essere un mestiere così da femmina! Questo pensava, mentre vedeva il paesaggio scorrerle veloce dal finestrino: quello era il primo viaggio fuori dalla sua regione e osservava tutto sgranando gli occhi. Ripensava ai suoi amori come se fosse una vecchia signora: dopo la storia con il Nisi, che era durata tre settimane, era stata un'estate con un giostraio e tre sere con un ragazzo detto "il

Muscolo", che le aveva fatto scoprire le prime gioie del sesso. Stava per compiere diciassette anni e si sentiva grande, ma ogni volta che incontrava sua madre tornava sempre bambina.

Ad attenderla, alla stazione, Angela si era fatta accompagnare da Gilda.

«Ma è tua figlia, non puoi essere in questo stato di agitazione.»

Angela appoggiò una mano sulla spalla della sua amica.

«Non so mai come comportarmi con lei. Però con te mi sento più forte, per questo voglio che Emma ti conosca... senza di te io forse l'avrei persa.»

«Ecco, allora cerca di non rovinare tutto. Io non ho figli, non sono arrivati, non sono stata fortunata in amore. Ma almeno non ho fatto danni.»

Angela inspirò profondamente. Era un ottobre mite, e il giallo dei boschi e dei prati dava un'aura magica a tutto il bassanese.

Emma arrivò lievemente truccata, anche se con un taglio di capelli decisamente particolare. Oreste, il parrucchiere da cui faceva pratica, aveva deciso di sperimentare su di lei tutti i nuovi tagli che aveva imparato a Londra. Angela era tentata di fare un commento, ma preferì dirle che la trovava bellissima, perché era giusto così.

«Il viaggio è andato bene? Ti sei seduta in treno vicino alle suore, come ti avevo detto?»

«No, mamma, non c'erano suore. Solo una signora vestita di nero.»

Emma, intanto, sorrideva a Gilda e guardava ogni cosa con ammirazione e curiosità: osservava le signore benvestite, le vetrine eleganti di Cenere, e le sembrava di essere all'estero. Era tutto diverso e un po' esotico, ma forse perché non aveva mai viaggiato. Sua madre aveva al collo una collana bellissima, piena di pietre colorate, ed era uno schianto. Anche la sua amica era carina e simpatica, ma mai quanto lei, che continuava a guardarla.

«Ferruccio è in osteria, e stasera possiamo andare a mangiare là, ma se ora ti va possiamo fare una passeggiata. Dove vorresti andare?».

«Alla Bottega del Baccalà.»

«Perché vuoi andare proprio lì?»

«Perché ne parli sempre e me la sono solo immaginata.»

Gilda lanciò un'occhiata ad Angela, che un po' controvoglia portò sua figlia a visitare il posto dove lavorava. Quando il titolare vide entrare Angela con quella ragazza, l'accolse con un pizzico di sorpresa.

«Lei è Emma, e ci teneva tanto a vedere questo posto.»

L'uomo la guardò incuriosito.

«Le belle ragazze sono sempre le benvenute. Ti piace il baccalà?»

«Io mangio tutto, vero mamma?»

Il titolare guardò la sua dipendente con gli occhi sgranati ma fu abbastanza abile nel dissimulare il suo stupore, che Emma non colse. In quegli anni Angela non gli aveva mai detto di avere una figlia. L'unica a comprendere tutto al volo fu Gilda, che invitò subito Emma a scegliere qualcosa da portare a Trieste ai nonni, e lei si fiondò sulle scatolette più particolari.

Uscirono dal negozio un po' stranite, ma piene di sardine. Una volta fuori, Gilda pensò fosse meglio defilarsi e lasciarle sole.

Emma prese sua madre sottobraccio, e Angela si ricordò che anche Pasquale aveva fatto lo stesso gesto qualche anno prima.

«Ti piacciono le meringhe?»

«Quelle che portavi quando venivi a trovarci?»

Anche la domanda più banale suonava come un'accusa.

«Esatto. Ti porto ad assaggiare quelle di Fiorese, che sono le più buone del mondo.»

Entrarono sorridenti in pasticceria, e Angela fu particolarmente orgogliosa perché la ragazza la riconobbe – era una buona cliente – e la servì anticipandone i gusti. Emma era semplicemente esaltata: era da sola con sua mamma, nel regno dei pasticcini. Poi, quando vide la meringa coperta di panna, credette veramente di sognare.

Angela per una volta si sentì sollevata. Erano solo loro due, senza troppo da dirsi, solo con il piacere di stare insieme. Ma Emma aveva ancora da realizzare un grande desiderio. Appena finì di leccare con le dita l'ultima traccia di panna, guardò sua mamma negli occhi e le disse: «Poi posso vedere casa tua?».

«Certo che puoi. C'è il tuo lettino che ti aspetta.»

«Davvero? Che bello!»

Tutto ciò che per molti figli era naturale, per Emma diventava un evento epocale. Così si avviarono verso casa, poco distante da dove si trovavano. Emma osservava i palazzi, i portici, le chiese, come se dovesse cercare di immagazzinare tutte le informazioni: s'immaginava già il racconto che avrebbe fatto a Mila appena tornata a Trieste, magari aggiungendo che c'erano un sacco di ragazzi alti come lei.

L'appartamento del Terraglio le ricordò subito la casa di via della Bora. Aveva le scale ripide, un quadro di Francesco Giuseppe – era il modo di Angela per ricordare il Pipan – e una foto di loro due nell'ingresso. Era un'immagine che Emma non aveva mai visto, che non ricordava più. La prese in mano e la osservò con attenzione. Era stata scattata a uno dei tanti compleanni. Sua mamma la teneva in braccio e sorrideva: aveva un maglioncino a collo alto, gli occhi disegnati con la matita, i capelli raccolti, due orecchini importanti. Emma l'abbracciava, i capelli già corti da maschietto, gli occhi perplessi. Occhi che per anni non sarebbero più cambiati: quello sguardo sempre alla ricerca della verità non l'aveva mai abbandonata, neppure nei giorni più felici.

Angela osservava sua figlia guardare ogni cosa, di quell'appartamento piccolo ma arredato con gusto, e si chiedeva come mai ci avesse messo così tanto a invitarla lì. Forse non si sentiva pronta a un suo trasferimento, che era l'unica verità difficile da ammettere: Angela non sarebbe più stata in grado di vivere con sua figlia, anche se le aveva preparato un letto con le lenzuola ricamate, un pigiama pieno di cuori e due pantofole a forma di zebra. Quella sera d'autunno, a Bassano, per Emma era sbocciata la primavera.

Per cena, Angela la portò all'osteria di Ferruccio, che aveva riservato il tavolo più al centro della sala. Pur essendo un locale un po' alla buona, fece di tutto perché sembrasse una serata di classe, e volutamente apparecchiò solo per due: voleva che madre e figlia si godessero quel momento.

«Che bel tavolo, grazie Ferruccio!»

A Emma venne naturale riconoscere l'autenticità del gesto ed ebbe un moto di affetto verso quell'uomo con cui aveva sempre avuto un rapporto conflittuale.

Appena lui si allontanò per andare a prendere un po' di polenta, Angela le disse: «Guarda che puoi chiamarlo papà. E sappi che quando vuoi puoi anche avere il suo cognome».

Emma era confusa, ma anche bendisposta a cambiare vita: in fondo aveva sempre cercato di avere, oltre alla madre, anche un padre.

«E quindi cosa dovrei fare?»

«Basta informarsi. Dipende solo da te, e poi procediamo.»

Ancora una volta, a sedici anni, Emma si trovò a dover prendere una decisione molto più grande di lei.

22

Nel pieno della sua adolescenza, alle prime lotte con i brufoli, i primi amori, la scuola di parrucchiere e la sua femminilità apparsa senza preavviso, Emma era francamente stufa di sentirsi ancora chiedere come mai non avesse il cognome di suo padre. Così, appena rientrata a Trieste dopo la prima visita "ufficiale" a sua madre, chiese indicazioni ai passanti e arrivò in tribunale. «Decide il giudice» aveva sentito dire in tanti discorsi, e quindi lì avrebbero saputo risponderle.

Aveva la sfrontatezza della sua età, le spalle larghe e continuava ad avere le gambe di un ghepardo che si muovevano veloci su per le salite senza fatica.

Appena giunta a destinazione tirò un sospiro di sollievo: finalmente avrebbe risolto il problema. Fermò il primo signore in divisa che incontrò.

«Buongiorno... io dovrei cambiare cognome.»

Dopo la gita a Bassano, Emma aveva acquistato fiducia e mostrava un piglio adulto, come vedeva sempre fare a suo nonno. Questo signore, un po' sudato e un po' in carne, la prese in simpatia. Guardò l'aria spavalda dell'uccellino convinto di sbranare il leone, e si fece ripetere la domanda.

«Allora, glielo ripeto: devo cambiare cognome. Perché io ho quello di mia madre da sempre. Ma adesso tutti mi dicono che devo prendere il cognome di suo marito e sono venuta qui per sapere cosa devo fare. Così la smettono con questa storia, che già ho i miei problemi con il taglio.»

«Che taglio?»

«Le sembrano normali i miei capelli? Vado a scuola di parrucchiera, questi me li ha fatti la mia compagna di corso.»

«Scusa, ma quanti anni hai?»

«Quasi diciassette.»

«E chi ti ha detto di venire qui?»

«Ci sono venuta da sola. Perché mi sto scocciando, mia madre mi ha detto di informarmi e allora eccomi qui.»

Quel signore gentile scosse la testa e la condusse in una stanza piena di sedie. Poi fece una telefonata a un funzionario con cui aveva una certa confidenza che scese ad ascoltarla. Sembrava uno psicologo. Davanti alle sue semplici domande, Emma si rese conto di quanto le piacesse raccontare la sua vita: «Io sono cresciuta senza papà ma anche senza mamma, perché doveva lavorare fuori... però lei lo so bene chi è. Lei mi voleva maschio e così io ho fatto il maschio fino a che a un certo punto mi sono spuntate le tette e... come facevo a quel punto? Le mie compagne pensavano che mi piacessero le femmine, che poi secondo me non c'è niente di male. L'unica che mi ha capito è Mila.»

«Mila chi?»

«Mila. Si chiama così: è croata ed è alta il doppio di me solo che lei i genitori non li ha proprio conosciuti. Quando credo di essere sfortunata mi basta pensare a lei che ha solo sua zia, ed è pure vedova. Non si è più voluta sposare, e lei è alta normale.»

«Senti, questo argomento ora non è importante. Dimmi invece di tuo padre.»

«Di papà invece ne ho due: uno vero, che so che vive in Calabria. E poi c'è il marito di mia mamma... che dovrei chiamare papà anche se non è proprio mio papà.»

L'uomo era sorpreso dalla spigliatezza con cui questa ragazza raccontava.

«E tu... diciamo... il tuo papà vero lo hai già visto?»

«Sì, una volta, qualche anno fa. So che ho pianto tutto il tempo davanti a una pizza.»

«E perché?»

«Ma che ne so. Io non avevo mai conosciuto un vero padre.»

«E cosa sai di lui?»

«So che mi ha abbandonato quando ero piccola e poi si è pentito, così mi diceva ma non ricordo perché io piangevo e basta. Invece l'altro papà è il marito di mia mamma e io non lo conosco bene, anche se mi sta diventando più simpatico: la verità va detta. Io vorrei solo essere figlia di mia mamma. Però tutti vogliono che io prenda il cognome di suo marito e allora cosa devo fare? Me lo dica lei.»

L'uomo la guardò e gli venne da sorridere, perché Emma aveva il talento di farsi voler bene subito dalle persone, con quegli occhi che ti guardano dritti senza abbassare mai lo sguardo.

«Tu sei una ragazza molto coraggiosa, lo sai?»

«Sì, sì, lo so. Me lo dicono tutti. Ho vinto un sacco di gare di tuffi a clanfa e so anche tirare i rigori come i maschi.»

«Non ho dubbi, si vede che sei atletica.»

Per anni, da quel giorno, Emma si sarebbe guardata allo specchio pensando di essere una ragazza atletica. L'uomo però non aveva ancora finito di parlare.

«Quello che mi stai dicendo è che vorresti che il marito di tua mamma diventasse tuo papà, giusto?»

«Io non ho bisogno di un papà perché non so bene cos'è. Ma vorrei il cognome così non mi chiedono più perché ho il cognome della mamma.»

«Però questa sarebbe una specie di adozione... ma non la puoi richiedere tu, finché sei minorenne. Deve venire tua mamma con suo marito. È una questione che devono affrontare gli adulti, non tu. Tu devi pensare solo ai tuffi. Ma sai fare anche il *kami*?»

«Certo. A testa rovesciata. A dire la verità se oggi fosse stato bello sarei andata ai Topolini, ma visto che stava per piovere sono venuta qui.»

«Il mare ti avrebbe rovinato i capelli. A me piacciono così.»

«Davvero?»

Emma aveva già cambiato idea.

Il funzionario l'accompagnò all'uscita, la guardò attraversare la strada e le fece ancora un ciao con la mano. In tanti anni di esperienza, non gli era mai capitata una cosa simile. Un po' si commosse, mentre la ragazza con i capelli strani tornava a casa forte della sua informazione. Emma si sentiva già grande, e un po' lo era. Appena entrò in cucina disse alla nonna cosa aveva scoperto, e venne subito accompagnata al bar Stella per parlare con la mamma.

«Sono andata in tribunale.»

«Ah... e perché?»

«Per il cognome. Tu mi avevi detto di informarmi, io sono andata e ho parlato con un signore. Dice che è una specie di adozione ma non posso cambiarmelo io il cognome. Dovete venire voi qui... hai capito? Quindi finché non lo fate io continuo a chiamarmi con il tuo cognome.»

«...»

«Mamma, ci sei?»

«Sì, sì, ci sono. Va bene, adesso lo dico a papà.»

Angela era senza parole.

«Intanto posso continuare a chiamarmi Pipan come te?»

«Certo.»

Dopo quella volta, nessuno tirò più fuori la storia del cognome.

23

Arrivò novembre, e in quel mese Trieste assumeva tutta l'austerità tanto cara agli austriaci. Il cielo era rigoroso, le nuvole ferme, la gente ben coperta, il freddo pungente. Ma nel mese dei morti Emma ebbe il suo primo colpo di fulmine: Ciro. Lo conobbe perché un giorno lui entrò da Oreste per chiedere se potevano tagliargli i capelli: «Mi faccio schifo *accussì*». E mentre il titolare stava per rispondergli che era un parrucchiere da donna, Emma lo fece accomodare al lavatesta. I tagli maschili erano gli unici che lei diceva di saper fare, anche se non li praticava mai.

In un attimo, gli fece mille domande: Ciro veniva dalla Campania, da Castellammare di Stabia, e aveva seguito il fratello per lavorare a Trieste. Non sapeva niente del mondo ma aveva un grande sorriso, che lo rendeva subito simpatico, e a Emma piaceva perché era meridionale, e un accento diverso la metteva di buonumore.

«Ma tu sei meridionale di dove?»

«Cos'è, sei razzista?»

«Ma no, sono curiosa. Sei calabrese?»

«No, campano.»

«Ah, meno male.»

«Perché?»

Emma non aveva voglia di dirgli del suo vero padre, e aveva il terrore che chiunque venisse dal Meridione fosse un suo parente.

«Così. Io tifo per la Triestina.»

«E che c'entra? Io dico sempre Forza Napoli.»
«E che ci fai qui?»
«Aiuto mio fratello che fa l'imbianchino perché giù non c'è lavoro.»
«Giù dove?»
«Giù.»
Emma non capiva bene come parlava, ma quel ragazzo aveva i denti più bianchi dell'universo e non poteva credere che le stesse dando retta.
«È da tanto che fai la parrucchiera?»
«Sì, mia madre ha un grande salone a Bassano... in Veneto... un salone di tre piani.»
Per lei il Veneto era l'America. Oreste strabuzzò gli occhi, ma Emma gli fece cenno di far finta di niente. Non era solita mentire, ma sarebbe stata capace di tutto pur di fare colpo su quel ragazzo, che però oltre ai denti bianchissimi aveva un'altra peculiarità: era testimone di Geova. Per cui era strano come lei.
«Sai, mio fratello e la moglie sono proprio convinti e per essere ospitato da loro devo aiutarli a fare attività. A cercare i fedeli.»
Emma scoppiò a ridere.
«Cioè? Vai in giro a casa della gente a chiedere se leggono la Bibbia? Mio nonno li caccia sempre via...»
Ciro restò un attimo in silenzio prima di rispondere.
«Sì, infatti io non sono d'accordo. Io mangio la mortadella di nascosto, festeggio i compleanni degli amici e quando non mi vedono gioco a carte. Ma a casa loro sono tutti testimoni di Geova e mia cognata soprattutto è presa assai, per cui io non posso mica ribellarmi. Altrimenti devo tornare giù.»
«Giù dove?»
«Giù.»
La cosa a cui Emma teneva di più era che Ciro fosse vagamente interessato a lei, che ormai si sentiva parrucchiera alla moda, anche se a malapena sapeva fare una messa in piega. Lui uscì piuttosto soddisfatto da quel taglio un po' a scodella, e lei fece di tutto per rivederlo.

Iniziò a frequentarlo dopo il lavoro, quando andavano a Barcola a passeggiare e lei gli raccontava che d'estate gli avrebbe insegnato il *kami* rovesciato.

Pur di stargli accanto, lo accompagnava a cercare proseliti facendo finta di essere anche lei testimone di Geova. Così, nel tardo pomeriggio, dopo che lui aveva finito di tinteggiare le case, passava a prenderla e andavano a bussare alle porte dei triestini per convincerli ad abbracciare i dettami di un nuovo credo.

Emma era piuttosto brava a fermare la gente e a entrare in empatia – «lei ha mai incontrato Dio? Potremmo parlarle un momento di Dio?» – anche se i triestini non erano facilmente convincibili sui discorsi religiosi. Ma lei sapeva alternare l'italiano al dialetto, Geova a Francesco Giuseppe, per cui a un certo punto diceva: «Signora, lei venga una sera a una riunione, e vedrà che Geova le farà una sorpresa». Con questa frase illudeva tutti e Ciro tornava da suo fratello e sua cognata sempre soddisfatto. Per lui l'importante era che non lo cacciassero di casa. Di fatto, lui ed Emma erano due cialtroni, e fu proprio questo che li rese talmente complici da finire per innamorarsi.

Emma era talmente gelosa di lui, da credere che un imbianchino emigrato a Trieste che cercava proseliti fosse un principe azzurro particolarmente gettonato. Per cui se lo teneva per sé, cercava di vederlo di nascosto e, soprattutto, sperava che la sua storia durasse per sempre.

Ciro però era un testimone di Geova particolare. A casa, con il fratello e la cognata, leggeva ogni sera i passi della Bibbia. Fuori, invece, gli piaceva farsi le canne. Emma era terrorizzata che lui diventasse un vero tossicodipendente, perché le avevano detto che se cominci con gli spinelli poi finisci con le droghe pesanti. Così nei weekend, appena spuntava il sole, lo portava a fare le passeggiate sul lungomare, o al cinema. Finalmente ci andava con qualcuno con cui baciarsi, ma evitò per rispetto di chi non poteva farlo: non aveva ancora dimenticato di quanto si era sentita sperduta, anni prima, a vedere *Paradise*.

A lei Ciro piaceva così: un po' sballone, un po' terrone, e un po' tenerone. Una sera in cui lo zio Riccardo non dormiva a casa, Emma pensò di invitare "Denti bianchi" in camera sua. Tanto i nonni, di sotto, non si accorgevano di nulla.

Forse, però, avevano esagerato con qualche birra di troppo perché dopo essersi baciati con passione sempre più travolgente, mentre lei sentiva che finalmente era arrivato il momento in cui sarebbe diventata una vera pantera del sesso, Ciro si addormentò.

E anche lei, dopo vari tentativi di rianimarlo invocando persino Geova, si arrese alle sue braccia appoggiando la testa sul suo petto. Era a letto con un uomo, ma senza averci fatto niente.

Il giorno dopo Nerina bussò alla porta per dirle di scendere a fare colazione. Presa dal panico, Emma gridò «Arrivo!» e svegliò subito Ciro schiaffeggiandolo e supplicandolo di andarsene di corsa da casa sua. Lui era più di là che di qua, e non capiva bene cosa fare.

A Emma però non interessava: per quanto lo amasse, in quel momento doveva sbatterlo fuori il prima possibile.

«Ma se tua nonna mi ferma?»

«Dille che stai cercando il prete visto che la chiesa è qui di fronte.»

«Ma io sono testimone di Geova!»

Emma allora lo abbracciò e gli disse: «Vedrai che Geova capirà! Poi glielo spiego io».

24

Per Emma, "Denti bianchi" si era rivelato un amore altamente improbabile, oltre che breve. Dopo poche settimane il fratello lo sbatté fuori di casa e lui tornò a Castellammare di Stabia: le mandava delle lettere, in cui fondamentalmente le chiedeva di comportarsi da ragazza seria, ma Emma non capiva mai cosa volesse dire, e anche Mila le diceva di lasciarlo perdere.

La scuola di parrucchieri che frequentava non le piaceva tanto, soprattutto perché si annoiava. Lei avrebbe voluto fare acconciature ribelli, tinte aggressive, e invece le toccavano i "riccioli piatti" e le pieghe da signora stile vecchia Austria che sarebbero piaciute tanto al Pipan.

La capa della scuola, poi, la Rottermeier con le forbici, criticava ogni cosa che faceva, dandole sempre voti bassi.

Per fortuna faceva pratica da Oreste, che l'aveva presa in simpatia. Le clienti la guardavano con più diffidenza, forse per i suoi capelli in stile dark.

Chi però aveva il coraggio di farsi trattare da Emma restava sempre soddisfatto. Perché metteva tutti nelle condizioni di sfogarsi: «Mi dica, signora, come va con suo marito? C'è ancora attrazione?». Domande che potevano sembrare impertinenti spalancavano interi vasi di Pandora. Lei non giudicava mai e ascoltava ogni cosa con la giusta meraviglia. Se c'era qualcuno davvero privo di pregiudizi in tutta la città, questa era lei: per Emma non esisteva differenza tra meridionale, sloveno, uomo, donna, anziano.

Il suo titolare le si era così affezionato da lasciarsi andare a confidenze personali, ed essendo lui un donnaiolo a lei sembrava di parlare con lo zio Riccardo.

L'unico problema di quel negozio era la "sorellastra di Cenerentola", cioè la zia di Oreste – nonché padrona dei locali – che quasi ogni giorno faceva irruzione come una carabiniera in vena di fare multe. E se non c'erano clienti, oltre a guardarla male, iniziava a criticare l'ordine del salone. Così, quando la vedeva entrare, Emma correva a prendere scopa e stracci e iniziava a darci sotto.

A lei veniva da ridere, perché appena la zia se ne andava, Oreste le diceva che si poteva riposare sul divano.

Ma tra una sgridata mattutina e una risata pomeridiana, tra un taglio giusto e una tinta sbagliata, Emma per mesi ebbe un nuovo chiodo fisso: il motorino. Per lei quell'oggetto era la soluzione a tutte le sue frustrazioni: così sarebbe potuta andare dove voleva, con chi voleva, quando voleva.

I nonni però le dicevano «devi chiedere a tua madre»; la madre diceva «devi chiedere ai nonni»; gli zii dicevano «chiedi alla mamma e ai nonni»; i gemelli dicevano «chiedi allo zio Riccardo», Mila le diceva «se vuoi chiedo a mia zia». Alla fine fu Ferruccio a risolvere la questione. Prese di sua iniziativa un Ciao usato a Bassano, lo smontò, lo caricò in macchina insieme ad Angela e lo portò fino in via della Bora. E lo fece alla vigilia di San Nicolò: il giorno in cui Emma compì diciotto anni.

Quando lei rientrò quel pomeriggio dopo aver completamente sbagliato delle mèches, trovò davanti a casa un motorino non proprio nuovo accompagnato da un biglietto: "Per la piccola grande Emma" che Ferruccio le aveva scritto su un cartone.

Per la prima volta in vita sua, Emma abbracciò quell'uomo con affetto, e lo fece prima di salutare sua madre. Perché capì che era stato lui ad avere l'idea. A quell'età un Ciao è il più grande degli amori.

Il Pipan, data la visita inaspettata e l'occasione speciale, tirò fuori il gruzzoletto che teneva da parte e portò tutti a pranzo da Rudy a mangiare la caldaia: oltre ai fratelli, a Ferruccio e Angela, invitò anche Mila con la zia croata. Festeggiarono con porcina, crauti e kren. Quando Emma disse «grazie papà per il motorino», tutti la guardarono e, per un attimo, le credettero: forse stava trovando un po' di pace, ma fu questione di pochi giorni.

Infatti, subito dopo che i "suoi" furono partiti e lei contava già quanto mancava per poter andare al "bagno" in motorino, Emma ricevette una lettera di convocazione dal tribunale dei minori di Trieste.

La più preoccupata era Nerina. Aveva fatto di tutto per garantire il meglio a sua nipote, con quella specie di adozione collettiva che le aveva permesso di non sentirsi troppo diversa dagli altri.

Leggendo e rileggendo la lettera, Emma aveva capito che si sarebbe dovuta presentare davanti a un giudice. Il Pipan diceva che non c'era nulla di cui preoccuparsi, mentre sua moglie volle a tutti i costi poterci essere anche lei: «Nonna, ormai sono grande ma se ci tieni vieni anche tu.»

Il giorno dopo Nerina indossò l'abito già messo per il matrimonio del Biondo e accompagnò Emma in tribunale. Il Pipan invece restò a leggere "Il Piccolo" sotto il quadro di Francesco Giuseppe. Vedendole uscire, gli parve che entrambe avessero un'aria strana, come se andassero dal dentista.

Emma era già stata in quel tribunale, e si sentì subito a casa. Salutò con un abbraccio l'usciere con cui aveva parlato l'ultima volta e gli presentò Nerina: «Lei è tipo mia mamma ma è mia nonna» gli disse. Fu lui ad accompagnarle nella stanza del giudice, che le ricevette circondato da mobili scuri che mettevano una certa soggezione.

«Dunque, lei è Emma Pipan, giusto?»

«Sì.»

«Figlia di Angela Pipan e nipote di Igor e Nerina Pipan, giusto?»

«Sì.»

«Come lei sa, prima di compiere il primo anno di vita è stata data in affidamento ai suoi nonni materni, in quanto sua madre ha abbandonato la casa di residenza per trasferirsi a Bassano del Grappa con un compagno che non era suo padre, giusto?»

Emma non avrebbe mai voluto sentire quelle parole, ma non sapendo cosa fare, ripeteva «sì» come una litania.

La nonna cercò di intervenire, ma il giudice le impose il silenzio con un gesto della mano, e continuò a parlare come se davanti non avesse due esseri umani, ma due robot.

«Signorina, lei è diventata maggiorenne quindi questo affidamento è terminato.»

Emma guardò la nonna cercando di capire, mentre lei la fissava un po' spaesata finché intervenne.

«Guardi che non ci sono problemi, la bambina e la mamma oggi vanno d'accordissimo, vero Emma?»

«Sì.»

Lei sapeva ripetere solo quella parola.

«Mi dica, cara ragazza... come sono oggi i rapporti con sua mamma?»

La nonna intervenne di nuovo a gamba tesa.

«Buonissimi, si sentono sempre. Ieri le ha telefonato e va anche a trovarla a Bassano.»

Il giudice iniziò a indispettirsi.

«Signora, la prego, vorrei che parlasse la ragazza. Come va con sua mamma?»

Emma ci pensò e disse: «Va bene, ma mia madre è strana, non è come tutte le altre. Per cui non so se riuscirei a vivere sempre con lei».

Il giudice capì che oltre alle parole e alle regole esistevano anche i cuori e le persone, per cui perse un po' della durezza iniziale.

«Siamo tutti strani, sa, signorina. Lo sono anch'io... sappia però che lei da oggi può scegliere dove vivere. Può continuare a stare dai nonni o andare a vivere con sua mamma a Bassano.»

«Perché, prima non potevo?»

Emma a quel punto voleva la verità, mettendo in forte imbarazzo sia il giudice sia la nonna, che di nuovo intervenne.

«Noi non abbiamo mai vietato alla ragazza di vedere la mamma.»

Il giudice non sapeva bene come rispondere ma il senso di giustizia ebbe il sopravvento.

«Vede, Emma, quando era piccola ci sono stati dei problemi tra sua mamma e i suoi nonni... per cui il tribunale ha deciso di affidarla a loro.»

«Me ne sono accorta.»

Il giudice sorrise, ma Emma insisteva.

«Quindi mia madre non mi ha voluta?»

Il giudice non ebbe il coraggio di risponderle in modo diretto, ma non voleva intristire quelle due anime belle.

«Lei ormai è una ragazza adulta e ha tutta la vita davanti. Ha le carte in regola per essere felice, si goda la vita e sia contenta. Mi dica che ci proverà.»

Emma annuì senza troppa convinzione, poi prese la mano della nonna e le disse: «Torniamocene a casa».

25

Appena Angela venne avvisata della convocazione in tribunale, fece un sospiro di sollievo. Di fatto, sua figlia era diventata maggiorenne e aveva raggiunto l'autonomia. Con Ferruccio aveva trovato una specie di serenità. Facevano l'amore tutte le settimane e lei aveva smesso di tenere gli occhi chiusi e riusciva a guardarlo senza provare un sentimento che potesse essere di rifiuto.

E lui, d'altro canto, si stava rilassando. Aveva accettato l'idea di non avere figli e accantonato il progetto di prendersi cura di Emma. La considerava una nipote bizzarra e un po' lunatica, a cui però si era affezionato. Dopo l'acquisto del motorino, poi, aveva ottenuto la sua completa fiducia.

Ogni tanto, Ferruccio prendeva la macchina e andava a pescare trote nel Brenta, quasi al confine con il Trentino. Era il suo modo di ricaricarsi e riprendere nuove energie. Un giorno, Angela – dietro consiglio di Gilda – gli chiese se poteva andare con lui: «non mi porti mai con te» gli aveva detto con quel modo di fare che hanno le donne quando sanno benissimo di avere torto ma vogliono avere ragione.

E così lui, senza neanche discutere, aveva preparato dei panini al salame, un po' di frutta, delle Cipster che Angela mangiava di nascosto, aveva preso una tovaglietta, messo tutto in un cesto, e si erano messi in macchina. La giornata non era delle più belle, c'era un po' di foschia, ma era il momento migliore per pescare.

In macchina ascoltarono i successi di Umberto Tozzi e Angela continuava a riascoltare «notte rosa, sembra esplosa» perché avrebbe voluto che la sua vita fosse come il testo di quella canzone.

Si fermarono in una piazzola qualche chilometro dopo il ponte della Vittoria. Parcheggiarono e scesero in uno dei punti preferiti da Ferruccio. Fra ampie buche e acque trasparenti, interrotte ogni tanto dalle rocce, il Brenta offriva uno scorcio che sembrava isolato dal mondo. C'era anche una spiaggetta, in cui lui immaginava, ogni volta, di organizzare un picnic. Mentre raccontava ad Angela tutti i segreti della pesca, lei si rese conto per la prima volta che non lo aveva mai ascoltato sul serio. Lo osservò mentre preparava le esche, le infilava nell'amo, controllava il galleggiante e poi lanciava la lenza, in quel gesto che sembrava elementare e invece era difficilissimo. Lei era nata al mare ma non le era mai importato della pesca. L'unico dei suoi fratelli che pescava, il Biondo, non lo aveva mai considerato veramente.

Tirò fuori il telo che Ferruccio aveva messo nel cesto, lo distese sulla spiaggetta e ci si sedette sopra. Poco distante, su un masso sporgente, suo marito guardò l'acqua e il galleggiante per un tempo che a lei sembrò infinito. Angela capì da dove gli arrivava tutta la pazienza che aveva dovuto tirare fuori per sopportare i suoi capricci, i suoi malesseri, i paletti che aveva messo nella loro relazione.

All'improvviso, incredibilmente, una trota abboccò e Ferruccio iniziò a muovere la canna da pesca in modo da non lasciarsi sfuggire la preda. Era una gran bella trota che liberò dall'amo e mise in un secchio pieno d'acqua.

«Non sapevo di avere un marito così bravo a pescare.»

«Tu non sai un sacco di cose di me.»

«Neanche tu di me.»

Ferruccio la guardò sorridente.

«Io invece credo di conoscerti bene. In fondo sei una donna molto semplice: hai amato e amerai sempre un uomo che non sono io. Uno che ti ha fatto girare la testa e poi è andato via, lasciandoti nei guai in cui ci troviamo tuttora. Se ci pensi, sono molto più complicato io che non me ne sono mai andato e ti aspetto sempre come se nulla fosse.»

«Ma cosa dici...»

«Credi che non sappia che lo ami ancora? Che probabilmente lo hai rivisto? Che la notte sussurri il suo nome mentre dormi?»

Ad Angela in quel momento venne paura di perdere l'unica certezza che aveva. Ferruccio parlava senza alzare la voce, senza fretta, anzi aveva iniziato a preparare un'altra esca come se fosse solo. In fondo, e lo sapeva, era sempre stato solo.

Angela si era alzata, guardava il fiume scorrere impetuoso e si chiedeva come mai non ci fosse un rumore più forte a sovrastare il suo malessere. Solo gli uccelli cinguettavano e facevano da contraltare alla loro discussione.

«Ferruccio, io non sono una donna facile, lo so, con te in particolare. Ma spero che non sia troppo tardi per cambiare. Mi piacerebbe provarci.»

«Non devi cambiare perché nessuno cambia mai. Sono balle. E tu in fondo mi piaci così.»

«Così come?»

Ferruccio prese la trota dal secchio, l'avvicinò ad Angela, la lasciò dimenare nell'aria e poi la ributtò nel fiume sotto gli occhi sorpresi di lei.

«Tu con me sei come un pesce fuor d'acqua. Stai bene solo nel tuo mondo, fatto di pensieri, ricordi, dolori. È quello il tuo mare. Che sia il Brenta o la spiaggia di Barcola. Vuoi sempre scappare, e ti auguro che prima o poi tu possa trovare la tua destinazione.»

«Ma sei tu la mia destinazione» disse Angela andandogli vicino. A quelle parole lui stava per scoppiarle a ridere in faccia.

Invece si trattenne, le si avvicinò, e le disse: «È per questo che ti amo. Perché credi di essere convincente dicendo una frase da fotoromanzo, di quelli che leggevi e che non leggi più. E non credere di essere l'unica ad avere una ferita. Devi sapere che, prima di te, ero innamorato di un'altra ragazza di Bassano. Mi piaceva tantissimo, volevamo sposarci, facevamo sempre l'amore. Lei rimase incinta, ma non la prese bene. Non so come fece, ma perse quel bambino. Il mio bambino. E incontrandoti ho pensato che quella dovesse essere la mia sfida. Amare una donna che, in fondo, rifiuta l'idea di essere madre, provare a capirla, provare a renderla felice».

«Io non ho rifiutato di essere madre.»

Ferruccio rise forte.

«Una mamma è una mamma sempre. Quella che viene a trovarti ogni tanto e ti porta i regali è la nonna, o la zia, o l'amica di famiglia. Una madre ti sgrida. Ti capisce. Ti proibisce. Ti guarda. Ti aspetta.»

Erano talmente feroci, quelle parole, che Angela non riusciva neanche a piangere. Gli disse solo: «Mi abbracci?» e lui mollò la canna da pesca e strinse quella donna che forse non sarebbe mai cresciuta, che forse non lo avrebbe mai amato, ma che da quel giorno aveva iniziato finalmente a conoscerlo.

Era la prima volta, forse, in cui lei lo guardava e lo vedeva per quel che era. E le parve per la prima volta bello, per la prima volta uomo. Anche lui aveva sofferto come lei, forse di più, e lei lo aveva capito sulla riva di un fiume dove ora viaggiava una trota che era un po' come lei, sola e inquieta e per sempre infelice.

Ma il sole stava facendo capolino tra le nuvole e di colpo il bacino s'illuminò di blu. Era una giornata di speranza. Dopo quell'abbraccio non parlarono più molto. Angela stette tutto il tempo a guardare Ferruccio pescare. Capì che a modo suo lo amava. A fine giornata, lui prese il secchio pieno di trote, chiese ad Angela di dargli una mano e al "tre", insieme, le liberarono nel fiume. Tornarono senza dirsi più una parola, lasciando che a cantare fosse Umberto Tozzi.

26

Dopo la breve parentesi di "Denti bianchi", all'inizio del 1988 Emma s'innamorò perdutamente.

Il Kobra aveva le caratteristiche che lei sognava in un fidanzato: era più grande di lei, un po' diverso, un po' solo, un po' matto e capace di ascoltarla. Si chiamava Claudio ma per tutti era il Kobra, perché da ragazzo era stato il cantante dei Kobras. Se n'era anche tatuato uno sulla spalla poco prima che il gruppo si sciogliesse, e a Emma questa storia che appena lui si era fatto il tatuaggio il gruppo si era diviso l'aveva subito conquistata. Il Kobra aveva capelli neri un po' lunghi, vestiva di pelle, era un po' démodé e aveva una discreta pancia perché beveva troppe birre.

Gli parlò una sera, dopo averlo osservato per settimane, mentre girava sul Ciao per una volta senza Mila, che nel frattempo si era fidanzata con uno di Monfalcone, l'unico ragazzo che avesse trovato più alto di lei. Claudio era a bordo di una A112 Abarth con i Talking Heads in sottofondo.

«Vieni a farti un giro?»

«E dove andiamo?»

«In Jugo, ti va?»

Da quando era diventata maggiorenne, senza più le zavorre della burocrazia, Emma si sentiva ancora più libera. Salì con un pizzico di eccitazione e venne colpita e affondata quando lui le confessò di non aver mai conosciuto i suoi genitori.

Bum.

Era lui.

Quella era la sua anima gemella, anche se in realtà era il solo tratto che avevano in comune.

Il fatto che avesse dodici anni più di lei non la preoccupava, anzi: almeno non doveva fare da baby-sitter a nessuno.

Quella sera non fecero altro che parlare e fumare, mentre il Kobra girava a vuoto in macchina oltre frontiera senza sapere dove andare. Non aveva fretta né una meta, solo una strada davanti e una ragazza di fianco che aspettava di essere baciata.

E il bacio arrivò a fine serata, a Umago, di fronte al mare, in una notte ghiacciata in cui tutti erano chiusi in casa ma loro no. Emma si sentiva già rockstar e voleva tatuarsi un cobra anche lei, magari fatto un po' meglio.

Restarono fuori fino alle cinque di mattina a sbaciucchiarsi senza nessuna fretta di andare oltre. Per Emma fu l'inizio più romantico delle sue storie d'amore.

Finalmente, a diciannove anni, aveva trovato la sua dolce metà. Qualcuno a cui lei non dovesse spiegare come mai sua madre se n'era andata, perché era nella stessa situazione anche lui, forse peggio. Claudio era stato cresciuto da una parente in Francia che gli aveva lasciato qualche soldo e un appartamento in cui Emma dormiva spesso. Dopo la breve parentesi musicale, si era dato alla pittura: dipingeva opere così astratte che non sapeva spiegarle neanche lui. Si capiva solo la firma: "Kobra".

Era convinto che sarebbe passato alla storia, invece passava le giornate cercando di convincere qualche gallerista a esporre i suoi quadri. Il suo vero talento era nel farsi le canne. Comprava il fumo a buon prezzo, lo sbriciolava, lo miscelava con il tabacco e poi rollava queste canne perfette, tanto che se una multinazionale lo avesse visto lo avrebbe assunto per brevettarle.

Emma lo guardava rapita da quell'abilità, e si era convinta che arte e hashish fossero parenti. Voleva comportarsi da grande e Claudio le sembrava il suo trampolino verso l'età adulta. Certo, stare con lui significava essere sempre un po' brilla, e questa cosa preoccupava soprattutto Mila, che dall'alto del suo metro e ottantadue si tratteneva dal fare commenti.

A San Giusto avevano iniziato a chiamarli "Dammi cento lire", perché chiedevano sempre monete per giocare a Pac-Man in sala giochi.

Le voci erano arrivate anche al Pipan che, pur non essendo facile agli allarmismi, un po' di preoccupazione la nutriva. Anche lo zio Riccardo la sgridò dopo averla trovata a dormire sul tavolo della cucina, e via via tutti si accodarono alle critiche.

Emma si sentiva sotto assedio. Ce l'aveva con lo zio Primo, con lo zio Biondo, con il Coccolo, e con le rispettive mogli. Ed era molto delusa dallo zio Riccardo, che ormai secondo lei si era montato la testa tanto da non trovarlo neanche più bello. Per cui aveva iniziato dentro di sé una guerra contro tutto e tutti. Incredibilmente, aveva trovato un'unica alleata: sua madre.

Angela, informata che sua figlia stava frequentando un ragazzo poco raccomandabile, si era rivista alla sua età quando si era innamorata di Pasquale. «Al cuor non si comanda» ripeteva al telefono quando Nerina le diceva che non erano tranquilli.

Una volta, presa dall'esasperazione e incoraggiata da Ferruccio, si mise una pelliccia di lapin, un baschetto in testa, prese un treno e andò a Trieste. Sembrava arrivare da Parigi, mentre Emma pareva scappata di casa.

Sua madre volle portarla a mangiare uno strudel al caffè San Marco. E anche se a sua figlia sembrava un luogo troppo borghese – ormai era rock and roll – fece volentieri un'eccezione: si sentiva un po' bohémienne in mezzo a quelle specchiere liberty che avevano visto i riflessi di Svevo e Joyce.

«Quindi stai frequentando un ragazzo.»

«Sì, Claudio, ma per tutti è il Kobra.»

«Ed è più grande di te.»

«Sì, di dodici anni.»

«Un po' su di giri...»

«Solo perché fa l'artista.»
«E ve ne state sempre e solo voi due...»
«Solo perché ci bastiamo.»
Angela diede una lunga sorsata al caffellatte.
«Ascoltami, Emma. So di essere stata una madre un po' particolare... Ma io ti difenderò sempre e se tu sei innamorata di questo ragazzo, non farti condizionare dagli altri. Io l'ho fatto in passato e alla fine non so se è stata proprio una decisione giusta, sai?»
Emma annuiva e sorrideva, e mangiava il dolce con le mani pur avendo la forchetta e un tovagliolino. Era tutta sporca di zucchero a velo. Sua madre la rivide bambina, e si chiese che cosa ci avesse guadagnato a lasciarla crescere con i suoi. Perciò, quasi potesse riparare al torto, continuò a invogliare sua figlia a credere in quella storia, senza rendersi conto che ogni amore è diverso dall'altro.
Dopo l'avallo di Angela, nessuno poté più dire la sua su questa relazione. Nemmeno il *vecio* Pipan, che preferiva ascoltare le canzoni di Milva piuttosto che discutere.
Emma continuava a essere la loro ragazza che ogni volta li sorprendeva con i capelli di colpo di un colore diverso. Al lavoro, anche Oreste faceva fatica a prendere le sue difese: era sempre più distratta e a volte cambiava i tempi di posa della tinta perché il Kobra le diceva che «solo quando tutto è sbagliato può nascere l'arte». E a furia di vedere rollare canne, alla fine iniziò a fumare anche lei.
La storia tra Emma e Claudio andava avanti così, con l'illusione di essere speciali. A volte lui le chiedeva di spogliarsi per dipingere un nudo astratto. Lei stava immobile per ore a prendere freddo e poi, quando osservava l'opera, del suo corpo non si riconosceva nemmeno l'ombra. Solo colore e la firma del Kobra.
Una sera di maggio, dopo due settimane di convivenza, alla terza Laško lui le disse: «perché non ci sposiamo?» ed Emma disse «sì» senza pensarci. Quella notte fecero l'amore come non l'avevano mai fatto: sulla lavatrice in movimento. Avevano dovuto fare tre cicli prima di trovare il programma giusto per aumentare il piacere, e alla fine avevano lavato panni già puliti.

Si sentivano come John e Yoko a New York, invece erano Emma e il Kobra in Cavana. Si svegliarono dopo dodici ore che erano ancora l'uno sul corpo dell'altra.

La loro casa assomigliava più a un banco di piazza Ponterosso che a un appartamento, ma era il loro nido, aveva il telefono e c'era sempre lo spazio per una cannetta.

Emma aspettò qualche settimana prima di comunicare alla sua famiglia la data delle nozze.

Così una domenica pomeriggio, prima che iniziasse il Gran Premio di Formula Uno – il Pipan voleva vederlo sempre insieme ai suoi figli – Emma si alzò in piedi e disse: «Vorremmo dirvi che io e Claudio ci sposiamo e che siete tutti invitati».

Fu una delle rare volte in cui chiamò il Kobra con il suo vero nome.

La notizia venne accolta nel silenzio più totale, anche perché Emma scelse l'infelice momento della partenza con la Ferrari in prima fila. Per cui, tra il rombo dei motori sparati a tutto volume, l'unica che parlò fu Nerina, che si alzò in piedi e chiese soltanto: «Ma tu sei battezzato?» e il Kobra rispose: «Purtroppo sì».

La nonna guardò tutti in cerca di supporto, ma avevano occhi solo per la rossa. Così non le restò che dire: «Che dio ce la mandi buona».

27

Poco prima delle nozze, alla prova dell'abito, Emma si accorse che le tirava un po' troppo davanti, che il suo seno si era ulteriormente ingrossato e, collegandolo al fatto che non aveva più il ciclo da un po' di tempo, pensò che forse una visita del ginecologo non fosse una cattiva idea: «Signorina, lei è incinta» le disse un dottore piccoletto con occhiali spessi, che sembrava un impiegato delle poste. Ed Emma andò in crisi. Era terrorizzata che Claudio la lasciasse, come aveva fatto Pasquale con sua madre.

Invece il Kobra venne colto da un'ondata di entusiasmo, e volle subito dipingere la sua "Natività", per cui perse mezza giornata per trovare il nero antracite, che per lui era l'unico colore possibile. Poi comprò un chilo di piselli da tenere vicino a Emma per rappresentare gli spermatozoi. Per giorni le chiese di non disturbarlo, lasciandola davanti allo specchio a scrutare i cambiamenti del suo corpo. Finito il suo quadro, che intitolò *My baby*, si accese un cannone che avvicinò alla sua futura moglie dicendo: «Dài, un tiro solo».

Emma pensò che sposare quell'uomo forse non fosse una buona idea, ma ormai aveva fatto una guerra contro tutta la famiglia, aveva un bimbo in grembo e una madre che stava dalla sua parte.

Certo, nessuno in via della Bora prese bene quella gravidanza prima del matrimonio, a parte lo zio Coccolo, l'unico a cui i quadri del Kobra dicevano qualcosa: «e se avessimo in famiglia il nuovo Picasso?» e incitò Emma a essere più ottimista rispetto al suo talento artistico. Il Pipan, invece, aveva da ridire sull'altezza: in effetti, a piedi nudi Claudio era un po' più basso di Emma, e per lui era troppo distante dai canoni dell'estetica tradizionale.

Nel frattempo, per portare a casa almeno uno stipendio, lei continuava a lavorare come parrucchiera, anche se erano più le permanenti che sbagliava delle clienti che soddisfaceva, perché cercava sempre di fare un po' di testa sua. Oreste, con una pazienza infinita, le ripeteva che i capelli sono l'unico argomento su cui le donne hanno sempre ragione.

Le nozze si avvicinavano ed Emma si rendeva conto che non c'era alcuna progettualità nei discorsi del Kobra. Per lui la paternità era uno spunto creativo. Oltre ai quadri faceva dei lavoretti di restauro, ma ciò che guadagnava se lo bruciava in canne e birre. Tutto ciò ovviamente la innervosiva, e iniziò a litigare con tutti quelli che continuavano a ribadirglielo.

«Saremo la coppia della Trieste che spacca», le disse lui la settimana prima del matrimonio.

Il giorno delle nozze pioveva così a dirotto che tutto il suo sogno dell'abito bianco, il riso, gli applausi e i boccoli di Oreste vennero spazzati via dai refoli di bora scura e dagli ombrelli. La cosa più bella era come sempre sua madre.

Arrivò con un cappello rosso a tesa larga neanche fosse ad Ascot. Ferruccio la teneva per mano, chiuso dentro un doppiopetto che gli tirava un po'.

Nel viavai di vicini che passavano a salutare la sposa, Angela prese Emma per mano e la riportò in quella che era sempre stata la loro stanza: «Volevo dirti che non solo sei bellissima, ma che sei sempre stata un faro per me. In genere sono i genitori a essere dei fari per i figli, nel mio caso lo sei stata tu. Tranne la volta in cui non sei venuta in camper con noi... ma in fondo avevi ragione».

Emma guardò sua madre ed ebbe paura di piangere per quanto era felice. Si stavano finalmente dicendo la verità. Fuori la pioggia faceva troppo rumore, ma per loro non era più importante.

Il Biondo interruppe quel momento perché in cucina erano tutti pronti. Il più bello era il Pipan, che si era preso un gessato da Godina, pagandolo a rate, e porse a Emma il braccio a cui aggrapparsi per entrare in chiesa. E la chiesa non era una chiesa qualsiasi: era la cattedrale dove lei giocava da bambina. Fece la strada a piedi a fianco del nonno che teneva l'ombrello, mentre lei temeva che scivolasse. Dietro di loro la nonna, sola e indipendente, che bisbigliava un rosario, e alle sue spalle Angela con il cappello rosso, con Ferruccio che le stringeva la mano per non barcollare troppo: il nonno gli aveva fatto assaggiare il Pelinkovac, che era stato letale. Emma, vedendo per la prima volta sua madre innamorata, lo aveva salutato con un «ciao papà» e lui le aveva creduto.

Quando arrivarono in cima alla salita, si resero conto che forse una chiesa così grande non era adatta per pochi invitati. Era semivuota e – soprattutto – mancava il marito. Alle nozze dei Pipan i mariti sparivano sempre.

Così Emma si trovò di fianco al nonno, con la nonna che pregava, e sua madre vestita come alla notte degli Oscar in una chiesa deserta dove tutto rimbombava.

Dopo circa mezz'ora, Claudio finalmente arrivò in chiesa piuttosto stravolto. Aveva un abito senza cravatta, gli occhi rossi di fumo e l'aria sperduta di chi non si rende conto che tutti stanno aspettando solo lui: «Dài, siete già qua?» disse guardandoli come se fosse sorpreso.

«Vedi tu, la messa era alle dieci e sono quasi le undici.»

«Eh, ma dovevo finire un quadro: *Ritardo*. Una figata.»

Claudio mostrò a tutti le mani sporche di tempera e la chiesa esplose in una risata che contagiò anche Emma: vedere che era venuta anche sua madre con suo "padre" per lei era una specie di felicità. Come avere un'ospite famosa in sala.

Quando si voltò e notò quanto erano tutti emozionati nel vederla vestita di bianco, pensò che in fondo era stata più fortunata di Claudio, che non aveva avuto nemmeno un genitore. Quella che piangeva più di tutte era, però, Mila che abbracciata al suo ragazzone di Monfalcone e alla zia aveva seguito in silenzio tutte le vicende della sua più cara amica.

Per fortuna la messa fu breve e quasi nessuno fece la comunione, a parte Nerina e il vecchio Pipan. Quando uscirono, aveva smesso di piovere ed Emma e Claudio ricevettero il lancio di riso e petali di rosa. E pazienza se il bacio che Emma aveva tanto sognato all'uscita della chiesa avesse il sapore della birra. D'altronde, erano nozze rock and roll.

28

Emma si presentò all'ospedale con i capelli gonfi di messa in piega e vestita un po' troppo da cerimonia, perché il Pipan le aveva sempre detto che «i medici contano più dei preti» e lei questa cosa non se l'era scordata. Dopo un'ora d'attesa, ritrovò il solito ginecologo piccoletto, che la visitò con attenzione e lei si rese conto che non provava alcun imbarazzo nei confronti del proprio corpo. Gli esami andavano bene, il battito era regolare, fino a che lui fece una domanda che la lasciò di stucco: «Ci sono malattie ereditarie in famiglia?».

«In che senso?»

«I suoi genitori soffrono di qualche patologia? Ci sono precedenti di malattie genetiche?»

Lei capiva perfettamente la domanda, ma non rispondeva. Le tornò solo in mente la sua vita.

«Signorina... suo padre o sua madre sono affetti da malattie particolari?»

«Mia madre non credo.»

«E suo padre?»

«E mio padre... non lo so.»

Non ricordava più chi fosse, dove abitasse, che vita facesse. Chissà se era ancora vivo, chissà se si ricordava di lei. Di colpo quella domanda la catapultò indietro nel tempo, e si sentì senza radici né sicurezze. Come se il passato si presentasse all'improvviso e lei fosse costretta ad affrontarlo.

Dopo la visita passò alla casa del vento. Anche se si era sposata, Emma restava sempre la cocca della famiglia. Salì in camera e cominciò ad aprire i vecchi cassetti. Tirò fuori tutto ciò che contenevano, in una perquisizione improvvisata e attenta: fotografie, qualche disegno, un quaderno dei temi, qualche lettera della mamma che le chiedeva cosa volesse per il compleanno. Ma non c'era nessuna agendina, nessun indizio, nessun indirizzo della Calabria. Di suo padre ricordava solo che si chiamava Pasquale Spadafora e che lo aveva visto una volta davanti a una pizza a tredici anni. Di quel giorno, però, ricordava solo le lacrime e una macchina fotografica. Si armò di pazienza e andò alla Sip per chiedere se ci fossero gli elenchi telefonici della Calabria.

Iniziò da Reggio Calabria, ma dopo poco si rese conto che era come cercare un ago in un pagliaio. C'erano tantissimi Pasquale Spadafora. Allora mollò tutto e corse al bar Stella.

In fondo, le telefonate importanti si facevano sempre da lì. Jure era invecchiato e un po' meno pettegolo, ma sempre con l'aria di chi intuisce le persone solo osservando il modo in cui varcano la porta. Emma gli fece cenno di azzerargli il contatore degli scatti e compose quel numero che conosceva a memoria.

Angela, che aveva una specie di sesto senso, rispose subito.

«Pronto.»

«Mamma, sono io.»

«È successo qualcosa?»

«No, tutto bene, ma oggi ho fatto la visita dal ginecologo. Ti devo chiedere una cosa.»

«Dimmi.»

«Mi serve il numero di mio padre.»

Un silenzio lungo una vita.

«Tuo padre... quale?»

«Quello vero. Quello che mi hai fatto conoscere solo una volta.»

«Ma io non ce l'ho.»

«Mamma, io devo trovarlo. Ho provato a cercare sulle guide telefoniche della Calabria ma non so nemmeno in che paese si trovi.»

«Mi spiace, ma io non ti posso aiutare.»

Angela mise giù d'istinto, pervasa da sentimenti contrastanti. Lei che appena viveva un momento di serenità si scontrava puntualmente con un iceberg. Proprio ora che con Ferruccio aveva trovato complicità, Pasquale bussava alla sua porta e lei non era pronta.

Anche Emma non era pronta. Restò seduta un po' sconsolata al bar. Jure cercò di farla ridere parlandole con accento friulano ma non ci riuscì. Il telefono suonò di nuovo e lui corse a rispondere. Era Angela.

Appena sua figlia le rispose le disse soltanto: «Questo è il suo numero. L'ho avuto tramite suo cugino. Io non lo sento da quella volta. Ricordati che è sposato».

Sembrava che stesse dettando un telegramma: ogni frase era secca e terminava con un punto. Emma mise giù il telefono e rilesse quel biglietto come se quelli fossero i numeri vincenti della lotteria Italia. Uscì dal bar che sembrava volare, e il cielo sopra piazza Unità la incoraggiava. Era di nuovo pronta a tuffarsi come aveva sempre fatto: di testa e senza paura. Arrivò al Molo Audace senza sapere che fosse tanto caro a sua madre. Lo percorse controvento. Anche se non aveva mai tirato fuori quel discorso, uno strano malessere le si era insinuato sottopelle quando sentiva qualcuno pronunciare la parola "papà". Ogni volta, era come avvertire la punta di un ago che la pungeva, e alla fine il dolore era diventato insopportabile. Solo che non sapeva riconoscerlo, e la domanda di routine del ginecologo aveva scombussolato ogni cosa.

Tornò a casa e per fortuna Claudio era fuori. Non voleva testimoni di fronte a una chiamata che la innervosiva. Prima di telefonare fece un giro per la casa. Le sembrò così assurdo che lei vivesse in un posto dove di suo c'era ben poco. Solo colori, tele, lattine e disordine. Da qualche giorno anche un Buddha sdraiato che arrivava direttamente dalla Birmania.

Compose il numero di suo padre con calma, come se fosse la

combinazione di una cassaforte. Il telefono squillò. Uno, due, tre volte. Fino a che una voce rispose.

«Pronto?»

«...»

«Pronto, chi parla?»

Era una donna, probabilmente la moglie, tono subito inquisitorio. Emma non ebbe la forza di rispondere, rimase quasi immobilizzata.

Non poteva immaginare che a Santa Severina tutti sapevano dei vivaci trascorsi di Pasquale, per cui la moglie era costretta a tenere sempre tese le antenne. Emma mise giù senza sapere cosa fare. Per ammazzare il tempo, pensò di preparare qualcosa per cena. Aprì il frigo e, oltre alla birra, trovò due ripiani zeppi di tubetti di colore a olio con cui suo marito stava dipingendo il mare al contrario. Per cui lo richiuse e andò al supermercato Bosco a comprare riso e banane. Aveva voglia di banane.

In realtà voleva far passare minuti preziosi prima di richiamare. Appena rientrò, ritentò subito. Aveva un'ansia che non si sapeva spiegare. Rispose la stessa voce al secondo squillo: «Pronto? Pronto chi sei?».

Emma riattaccò con la sensazione di essere stata scoperta. Aveva bisogno di trovare una soluzione. Probabilmente suo padre era a due passi da quella donna, e lei doveva capire il modo di superare l'ostacolo. Ripensò a tutte le volte che aveva vinto correndo, in recupero, andando a perdifiato perché non aveva mai avuto paura di perdere. Bisognava solo trovare un'idea. Ci pensò ancora un po' e fece per l'ennesima volta il numero.

Questa volta la donna rispose dopo un solo squillo. Stava lì in agguato.

«Pronto?»

«Pronto, mi sente adesso?»

«Sì, chi parla?»

«Buonasera signora, adesso la sento. Sono dell'assicurazione dell'auto. Siete voi i possessori dell'assicurazione numero otto sette quattro...»

La signora sembrò tirare un sospiro di sollievo e cambiò rapidamente voce.

«Un attimo, un attimo... che di queste cose se ne occupa mio marito. Un momento che glielo passo... Pasqualeee...»

Emma ebbe la sensazione di avere vinto la maratona di New York. Aveva trovato la combinazione, stava per fare i conti con la sua vita, e questa cosa le trasmetteva una scarica di adrenalina. Chissà da quanto tempo lo aveva pensato senza averlo mai confessato nemmeno a se stessa. Parlare di nuovo con suo padre. Il suo vero padre. Quello che non aveva voluto stare con lei e con sua madre. Pasquale si avvicinò ignaro al telefono.

«Pronto?»

«Pronto buonasera, sono Emma...»

«...»

«... tua figlia.»

«...»

«So che tu non puoi parlare ma io ho bisogno di dirti qualcosa per cui fai finta che io sia dell'assicurazione, okay?»

«Certo, signorina. L'assicurazione è in regola... mi lasci un numero a cui io possa richiamarla...»

«Allora il mio numero è... zero... quattro... zero... cinque...»

Pasquale segnava il numero facendo cenno alla moglie che quella chiamata era una scocciatura, e lei tornò al suo polpettone con i peperoni.

«Allora adesso verifico i documenti e la richiamo. Va bene?»

«Va bene. Aspetto una tua chiamata.»

Emma mise giù e venne assalita da una sensazione di rabbia, nostalgia, malinconia, paura, sollievo, disagio, irritazione, felicità, desiderio di vendetta, voglia di dolce e di salato, tutto insieme. In realtà, l'unico vero sentimento che aveva provato era dolore. Chiamare suo padre come se fosse una clandestina o una ladra le aveva fatto male. Ma era orgogliosa della sua mossa, e felice di poter fare qualcosa per suo figlio.

Anche Pasquale, all'altro capo dello Stivale, era sconvolto e si sforzava disperatamente di credere che non fosse successo nulla. Si buttò sotto la doccia, passando dall'acqua calda a quella gelata, come se si volesse premiare e punire.

Suo figlio adolescente era rientrato e lui doveva mettersi a tavola perché la cena era già pronta. Fu bravissimo a dissimulare il suo stato d'animo per quella sera, ma aveva urgenza di parlare a sua figlia. Voleva Emma. Sentirla un attimo aveva coinciso con il desiderio istantaneo di rivederla. Perché era parte di Angela, della sua Angela e della loro gioventù. Fece finta di nulla, anzi spronò suo figlio a raccontargli del torneo di calcio, fece il bis del polpettone, che era l'unico modo per tranquillizzare sua moglie, e cercò il primo momento utile per uscire. Per fortuna aveva la passione per le carte, per cui una giocata a scopa era sempre una buona scusa per evadere. Sua moglie lo lasciava fare. Per lei, la cosa più importante era che lui tornasse.

Pasquale salì i gradoni senza fatica e arrivò nella piazza di Santa Severina. Pensò che una chiamata importante andasse fatta in un luogo a lui caro, per cui scelse la cabina accanto alla farmacia. Da lì, si vedevano la chiesa, il comune e il castello: quanto di più bello potesse offrire il suo paese. A quell'ora non c'era molta gente in giro. Il cielo non era ancora scuro del tutto e conservava una striatura di rosa. Si coprì un po' la faccia, e si guardò intorno. Voleva solo risentire sua figlia, che era seduta sul divano in attesa di un marito che non era rientrato e di un padre che non aveva chiamato.

Quando il telefono squillò, in casa ebbe lo stesso impatto di una sirena della polizia, tanto rimbombò dappertutto. Poteva essere solo lui.

«Pronto?»

«Sono tuo padre.»

«Ciao.»

Emma non riuscì a dire papà.

«La tua chiamata mi ha molto emozionato e mi ha fatto un immenso piacere. Sono felice che tu mi abbia cercato... mi hai sorpreso, e non avrei mai pensato di ritrovarti. Come stai?»

«Bene. Mi sono appena sposata e sono incinta.»

«Ah, addirittura. Come passa il tempo... e da voi piove?»

Quando non ti parli da anni, la conversazione prende direzioni strane.

«No, per fortuna no. Oggi c'è un po' di bora.»

La bora. Il passato. Un vento lontano che ora soffiava fino in Calabria.

«E tua mamma come sta?»

«Mia mamma... vive sempre a Bassano. È lei che mi ha dato il tuo numero.»

In quella risposta, per Pasquale c'erano molte cose. Avrebbe voluto chiederle di più, ma in quel momento si trattenne. Pur avendo provato mentalmente un discorso, gli uscirono parole impreviste, più autentiche.

«Prima ti devo chiedere scusa... scusa... scusa... perché ti abbiamo abbandonato due volte. Ti ho abbandonato io, e ti ha lasciato anche tua madre.»

Emma era rimasta immobile, circondata da quadri astratti sui quali leggeva solo "Kobra".

«Senti, ti ho cercato perché mi devi dire se hai malattie genetiche o altre patologie. Perché me l'hanno chiesto all'ospedale e non sapevo cosa dire.»

Pasquale provò una specie di delusione. Non avrebbe mai pensato di sentirsi così indifeso come quella sera, isolato in una cabina telefonica davanti alla bellezza del suo paese di cui andava così fiero.

«No, Emma... non ho niente. Sono solo uno stronzo.»

A lei venne per un attimo da sorridere, ma aveva una domanda a cui non trovava risposta da anni.

«Ah, meno male. Avrei anche un'altra cosa da chiederti.»

«Chiedimi tutto quello che vuoi.»

«Io vorrei sapere come sei, perché non mi ricordo niente di quella sera in cui abbiamo mangiato la pizza. Non so se sei alto o basso, se sei moro, se hai le orecchie a sventola o i piedi piatti. Vorrei vedere delle foto tue per poterti riconoscere se dovessi incontrarti per strada. Devi sapere che ogni volta che vedo un uomo della tua età mi chiedo sempre: e se fosse mio padre? Io ho il terrore di sedermi accanto a te e guardarti come un estraneo. Hai capito?»

Pasquale era scosso, ma era un calabrese verace, non poteva cedere, non doveva.

«Dammi un indirizzo e domani ti mando delle fotografie. Va bene?»

«Va bene.»

«E posso chiamarti ancora?»

«Adesso hai il mio numero. Mio marito si chiama Claudio, ma lo devi chiamare Kobra.»

«Come la canzone della Rettore?»

«Sì, ti piace la Rettore?»

«Preferisco la Berté. Sai, è di Bagnara.»

Emma non capì. Prima di mettere giù, gli ripeté l'indirizzo tre volte come era abituata a fare con sua nonna, dimenticandosi che suo padre era molto più sveglio. Di suo marito, intanto, nemmeno l'ombra. Una delle sue prime cene da sposina fu sola, davanti a un piatto di riso con gli occhi velati di emozione che guardavano persi il muro: aveva smarrito un cobra, ma aveva trovato un padre.

29

Tre giorni dopo quella telefonata, Emma ricevette a casa una busta. Lo raccontò a suo marito, che nel frattempo non faceva altro che dipingere tele blu. Diceva che quel colore gli avrebbe aperto le porte di una galleria francese, per cui si ostinava a cercare tutte le varianti possibili. Sapere che Emma aveva ritrovato suo padre svegliò il Kobra dalla sua trance creativa. L'abbracciò e le disse: «Almeno tu hai le tue radici, non perderle. Io per trovare le mie devo cercarle nel mio talento» e accese una serie di incensi, che davano al loro appartamento un odore orientaleggiante.

Come prima cosa chiamò sua madre. Era l'unica persona al mondo che potesse capire cosa provava, ma Angela reagì come se nulla fosse: «Mi fa piacere che vi siate ritrovati. Così quando vengo a Trieste mi fai vedere com'è diventato».

Emma si aspettava un po' più di partecipazione ma – come sempre – aveva frainteso il tono.

Aprì la busta fuori casa, in solitudine. In fondo, era come se stesse assistendo a un film sulla sua vita che avevano girato senza coinvolgerla.

Arrivò a San Giusto e si mise a sedere sull'ultimo muretto che oltrepassava le rovine delle colonne romane. Quello era il suo posto della memoria e della speranza, il luogo delle confidenze e dei primi approcci amorosi. Delle lacrime e delle gioie. Trieste le sorrideva mentre due ragazzi si baciavano poco lontani da lei. Le era sempre piaciuto stare lì, a osservare quelli che cercavano un po' di intimità, e per una volta si sentiva lei la protagonista. Stava per incontrare suo padre. Dentro una busta.

La prima foto che vide le provocò un po' di spaesamento. Pasquale era vestito da militare, con il volto serissimo, che metteva ancora più in evidenza gli occhi identici ai suoi, e il piccolo diastema tra i denti.

La seconda foto era grande come un francobollo, e le fece effetto che lui avesse scelto proprio quella. Dietro c'era scritto: "Trieste 1968", l'anno in cui era nata lei. Lui sembrava più grande, aveva la camicia sbottonata, una catena d'oro e un po' di peli sul petto. Era la tipica foto che ti avanza quando fai la carta d'identità. Poi Emma tirò fuori le altre immagini. In una, suo padre era con un cane, un cucciolo di pastore tedesco che lui teneva tra le braccia e lo guardava a un palmo di naso. E poi ce n'era un'altra in cui giocava a tennis con una racchetta di legno. Le venne in mente che aveva appena visto una partita di Mats Wilander e le sarebbe piaciuto fare un doppio con lui. Guardò e riguardò le foto con sentimenti contrastanti, tra la rabbia e le lacrime, che però riuscì a trattenere. Restò lì seduta a osservare i gabbiani volteggiare lontano per un tempo infinito. Provava solo uno strano distacco: aveva sognato in segreto quel momento, e alla fine si era abituata a vivere senza di lui.

Tornò a casa quando ormai si era fatto buio. Era pronta a una discussione con Claudio, ma quando aprì la porta trovò l'appartamento esattamente come l'aveva trovato. Si addormentò di botto, con la busta fra le mani, senza capire se in quel gesto ci fosse più volontà o stanchezza. Venne svegliata molto presto da qualcuno che picchiava forte alla sua porta. Il Kobra doveva essere per forza un po' brillo per rientrare a quell'ora. Invece era sua madre, bella come il sole.

«Non ho resistito e ho pensato di venirti a trovare. Mila mi ha dato l'indirizzo esatto. Mamma quanto è alta con i tacchi!»

Angela si guardò intorno e si rese conto che era la prima volta che entrava a casa di sua figlia. A prima vista, non le parve un granché: piena di disordine, di tele e di lattine. Evitò i commenti perché Emma la stava guardando talmente sorpresa da non capire bene cosa fare. Prese la busta dal letto e gliela lanciò al volo, come se fosse un pallone. Angela l'afferrò con un'abilità di cui si sorprese anche lei. Ma la posò sul tavolo senza aprirla.

«Ecco le foto di mio padre.»

Entrambe sapevano la ragione di quella visita.

«Quindi vi siete sentiti, come mi dicevi ieri, ma sei stata un po' vaga. Come sta?»

«Bene. Era molto emozionato che lo avessi cercato...»

«E ti ha chiesto di me?»

«Subito.»

Angela non riuscì a nascondere un sorriso.

«E cosa gli hai detto?»

«Che mi avevi dato tu il numero... poi voleva sapere se eri ancora sposata... se avevi avuto altri figli...»

«E tu?»

«Ma mamma, ti devo ripetere cose che sai già?»

Emma mise su la moka per il caffè per togliere ogni drammaticità a quel momento.

«No, era solo che così... non so neanch'io perché te lo dico.»

«E Ferruccio?»

«Gli ho detto che avevo bisogno di rivederti. Io ci tengo a lui, sai?»

«Si vede. Sei subito corsa qui a Trieste appena ti ho chiamata. A che ora ti sei alzata?»

«Non riuscivo a dormire.»

Angela si sentiva messa alle strette da una figlia che ora le sembrava troppo grande, troppo matura. E le era sempre più sconosciuta.

Emma capì che sua madre era ancora completamente presa da quell'amore, e cercò di accontentarla. Le versò il caffè, chiamò Oreste e s'inventò che quella mattina non stava bene, e le disse: «Andiamocene da qui».

«Ma... le foto?»

«Meglio se le vediamo fuori. Se rientra Claudio, non so in che stato sarà.»

Angela prese sua figlia sotto braccio, e le accarezzò la pancia fino a che furono in strada. Salirono su per i vicoli della città vecchia verso il castello. Quante volte Emma aveva sognato, da bambina, di poter passeggiare con sua madre e ora le dava una sensazione strana. Alla fine, ogni cosa che non viene fatta al momento giusto non ha più lo stesso sapore. Ma Angela voleva ancora sapere di Pasquale.

«E quindi cosa vi siete detti?»

«Gli ho chiesto se aveva delle malattie particolari ma mi ha detto che è sano come un pesce e che gioca anche a tennis.»

«E le foto sono tante?»

«Sono lì dentro.»

Emma le indicò la busta che sua madre teneva stretta, come se finalmente fosse lei ad avere il coltello dalla parte del manico: Angela aveva lo sguardo di un'adolescente.

«Vuoi vederle subito?»

«Sì.»

In quel momento, Ferruccio era di nuovo scomparso. Angela era tornata nel sogno, o nell'incubo, insomma era di nuovo in piena notte e si sentiva più fragile che mai. Si aggrappò a sua figlia, si sedettero sotto l'arco di Riccardo e riaprirono insieme la busta.

Angela guardò la foto di Pasquale militare con sufficienza.

Quella insieme al cucciolo di pastore tedesco con tenerezza.

Lui vestito da tennis la fece sorridere.

Ma quando vide la fototessera del 1968 appoggiò la testa sulla spalla di sua figlia e iniziò a singhiozzare. Emma la lasciò sfogare, e le venne anche un po' da sorridere: non riusciva mai a essere figlia, ma sempre qualcosa di diverso. Nipote, cugina, ora sembrava lei la madre di sua madre e doveva provare a consolarla. Angela cercò di riprendere il controllo.

«Cosa farai, lo andrai a trovare?»

«Non lo so.»

«Verrà lui qui?»
«Non lo so.»
«Se non vuoi dirmelo non è un problema, ma non capisco perché.»
Emma stava iniziando a perdere la pazienza.
«Mamma, ci ho messo una vita a fare quella telefonata. E l'ho fatta perché avrò un figlio e devo pensare al suo bene e al suo futuro, ma mio padre resta un estraneo. Lo guardo qui, vedo che mi assomiglia tantissimo ma io non lo conosco. Non so niente di lui, non so come chiamarlo, ma a dirti la verità, mamma... io non capisco neanche te.»
«In che senso?»
«Ma che razza di madre sei? Mi hai lasciato crescere qui con i nonni, i tuoi fratelli, i nostri vicini... e non ci sei mai stata.»
«Io venivo spesso a trovarti... all'epoca non potevo...»
«Ti sei sposata con Ferruccio e hai anche cercato di rifilarmelo come padre. Poi, quando finalmente ci avviciniamo, e vedo che anche tu con lui sembri più felice, mi piombi in casa come una ragazzina e mi supplichi di farti vedere le foto.»
Emma era pronta a dire quello che aveva pensato in tutti quegli anni senza aver mai avuto il coraggio di proferir parola. Angela ascoltava senza battere ciglio.
«Tu sei stata una madre veramente mediocre, lasciatelo dire. Ossessionata da te stessa... e mi hai abbandonato qui. A me non fregava niente che tu venissi facendo la splendida portandomi i regali. Io volevo solo te. Volevo il tuo calore, le tue sgridate. Tu invece mi permettevi tutto solo perché ti sentivi in colpa ed è un miracolo che io ce l'abbia fatta lo stesso ma capisco anche, e lo capisco vedendoti piangere davanti alle foto di quest'uomo che per me è un estraneo, che tu lo ami ancora. E questo amore ti ha rovinato la vita.»
Angela incassava quelle parole e stava lì muta, chiedendosi se avrebbe mai trovato un po' di pace. Si sentiva anche in colpa con Ferruccio, che malgrado tutto le aveva dato prova di amarla, di capirla e di aspettarla.
La bora aveva iniziato ad alzarsi e a far volare le carte, per cui

accelerò la conclusione di quella conversazione. Emma iniziava ad accusare un po' di stanchezza, e invitò sua madre a riaccompagnarla a casa. Magari sarebbero state insieme a suo marito e poi sarebbero andate a salutare i nonni.

In casa, però, trovarono tutto tranne che una situazione confortevole: Claudio era perso dentro nuvole di hashish, delirava dicendo «piove governo ladro» e invitò sua suocera a farsi un cannone rilassante. Lei guardò prima suo genero, poi sua figlia imbarazzata, con la pancia sempre più grossa, e pensò che qualche responsabilità ce l'aveva anche lei.

30

Quando Emma sentì dall'ostetrica che aveva messo al mondo una bambina, pensò a un pesce d'aprile. «Ma è sicura?» provò a chiederle, e la donna le sorrise e basta: «Sì, ed è bellissima.»

Le porse in grembo quell'esserino agitato che urlava disperatamente. Era ariete ascendente ariete. Emma se la ritrovò sul petto e si dimenticò del mondo. Si dimenticò di sé, dei suoi dubbi, di suo marito, di sua madre, di tutte le sue domande, si dimenticò chi era e chi sarebbe voluta diventare. Pensò che in quel momento c'era solo una bambina che era un prolungamento di sé, un nuovo polmone, un nuovo cuore. Ed era sua figlia.

«Come vuole chiamarla?»

Emma, a dire il vero, non aveva mai pensato al nome perché Claudio insisteva nel dirle che le sarebbe venuto sul momento, e che doveva essere un nome che avrebbe fatto impazzire l'anagrafe, magari con la "k" per ricordare a tutti che era figlia del Kobra. Così ci pensò un secondo, mentre la piccola continuava a strillare e disse solo: «Benedetta», senza sapere perché.

Le sembrò di buon auspicio, pensando che una bimba che si chiama così avesse più possibilità di essere felice. Era stato un parto incredibilmente veloce, perché Emma aveva imparato a respirare e a spingere, vivendo quell'emozione con grinta: «sei una ragazza atletica» le avevano detto al tribunale. Dopo averla visitata, gliela riportarono in camera con i capelli così arruffati che Emma pensò che fortunatamente faceva la parrucchiera. Non c'era vento ma un gran sole e l'aria secca dei primi giorni di primavera. Dalle finestre arrivava il profumo dei fiori di pesco che preannunciava la bella stagione. La bambina si era già calmata, e sembrava una bambola. Di suo marito nessun segnale.

Emma era uscita di casa appena aveva sentito che le stava succedendo qualcosa di strano, gli aveva lasciato un biglietto, ma lui aveva pensato che fosse il momento giusto per comprarsi una chitarra elettrica, perché il pennello non gli bastava più: voleva riprendere a suonare per essere un artista a trecentosessanta gradi come Bob Dylan e Janis Joplin.

Emma accarezzava quella piccola come se fosse un tesoro da proteggere e si chiese come avesse fatto sua madre, a suo tempo, a lasciarla lì e andarsene via.

Questo pensava e questo si ripeteva, mentre gli occhi le si velavano di gioia e malinconia, e non sapeva quale fosse il sentimento predominante. Di una cosa era certa: «Io non ti lascerò mai» le disse piano in un orecchio, e la bambina sembrò farle cenno di aver capito.

Da quel giorno scoprì che ci sarebbe sempre stato qualcuno per cui valeva la pena vivere.

I primi ad arrivare furono il Pipan e Nerina. Lui diede la mancia all'infermiera e le chiese se poteva tenere in braccio la bambina. Poi regalò a Emma un cavallo in porcellana arrivato direttamente da Vienna che occupava tutto il comodino.

Vedendo suo nonno con la piccola Benedetta in braccio e Nerina che le cantava «*Fame la nana, e famela cantando*», le sembrò tutto così poetico che ebbe una seconda ondata di emozione. Lo zio Riccardo si presentò con un mazzo di rose rosse e una ragazza nuova dal forte accento friulano, che colse tutti di sorpresa: «Friulana friulana?» le chiedeva Emma sorridendo, e lei era pronta anche a mentire pur di stare con Riccardo. In stanza il clima era sempre più canterino.

Primo e i gemelli, per ritrovare la vecchia confidenza, dedicarono alla neonata *La mula de Parenzo* eseguita come al solito in coro. Quando si resero conto che di Claudio non c'era l'ombra, fu il Coccolo a chiedere le chiavi a Emma per controllare se fosse successo qualcosa nel loro appartamento.

In casa non c'era nessuno, solo un biglietto davanti a un nuovo quadro:

"My dear Emma, io non me la sento di prendermi troppe responsabilità. In questo momento devo pensare alla mia arte, quindi parto per Parigi. Ora che ho scoperto di avere talento anche per la musica, oltre che per la pittura, devo trovare una platea più ampia. Trieste mi sta troppo stretta e nessuno mi capisce. Forse neanche tu. Prima o poi tornerò,

tuo Kobra"

Quando il Coccolo tornò in ospedale e provò, con dolcezza, a dire che il "suo Kobra" aveva deciso di partire, Emma si sentì sollevata. Per cui disse a tutti: «Se ce l'ho fatta io a crescere con una banda di matti come voi, ce la farà anche Benedetta, che ne dite?».

E tutti, travolti da quel destino beffardo, pensarono che in fondo sarebbe stato più semplice che la bambina crescesse senza un padre disgraziato.

L'orario di visita stava per terminare e i parenti furono invitati a lasciare la camera.

Dopo qualche giorno, Emma tornò a casa con la piccola Benedetta. Appena chiuse la porta, squillò il telefono. Era sua madre. Non si era sentita di andare a trovarla subito per una strana forma di pudore, anche se l'aveva tormentata di chiamate.

Emma invece era in totale pace con il mondo. Non aveva più tempo di essere arrabbiata, né aggressiva. Non diede alla madre neanche la notizia che suo marito se n'era andato. In quel momento le interessava solo sua figlia. Per cui le disse: «Mamma, secondo me ti somiglia, perché è bella come te».

E mentre Angela rispondeva commossa tirando fuori un pizzico di civetteria, Emma dovette interrompere la chiamata perché Benedetta aveva iniziato a strillare. Per la prima volta nella vita, c'era una persona al mondo di cui le importava più di sua madre.

V

31

Per sei anni, Emma si preoccupò solo di una cosa: far crescere la sua bambina con i capelli più belli del mondo, alternando le code alle treccine, o a volte i boccoli se la voleva più in stile bambola. Era l'unica cliente che amava pettinare. Il Kobra era praticamente scomparso, dileguato come un serpente tra Parigi e Budapest, e lei non riusciva nemmeno a essere arrabbiata. Aveva avviato la causa di separazione e rinunciato anche alla richiesta di mantenimento per la bambina: «È già tanto se riesce a mantenersi lui» aveva detto all'avvocato.

Più che con l'ex marito, era arrabbiata con se stessa per averlo sposato senza conoscerlo, e senza che nulla – del suo carattere – l'avesse mai fatta stare tranquilla. Così era tornata a vivere in via della Bora, anche perché nel frattempo era accaduto un fatto epocale, che aveva sconvolto non solo Trieste, ma anche il Carso, la Carnia e la Slovenia almeno fino a Lubiana: lo zio Riccardo si era sposato. Alla fine aveva scelto la ragazza friulana, provocando una leggera frizione alle nozze tra i due schieramenti di parentele, in evidente disaccordo sul vino. Come se non bastasse, tutte le ex dello zio Riccardo avevano fatto una specie di comitato di solidarietà, e si erano messe in fila davanti alla chiesa, vestite da cerimonia, per lanciare un'ultima occhiata al playboy più bello di Trieste e alla sua fortunata consorte che con il suo sorriso innocente sembrava avere uno scudo contro tutte le invidie. Grazie a Dio Angela – che era una grande esperta di guai sentimentali – aveva convinto tutte che le fortunate probabilmente erano più loro della ragazza friulana.

Così, quando Emma lasciò quella specie di posto bohémien in Cavana, pensò che l'unica casa dove alla fine avrebbe potuto vivere era quella dei nonni. Nerina iniziava ad accusare qualche acciacco, e lei si sentì in dovere di darle una mano per ricambiare tutto il bene che le aveva voluto.

«Ma ricorda che un vero triestino non invecchia mai veramente» le ripeteva il Pipan, che alla sua bella età si agitava ancora se vedeva Milva al festival di Sanremo.

La nascita di Benedetta aveva rasserenato definitivamente Angela, che era diventata nonna a quarant'anni, ma non essendo mai stata una vera madre non sapeva nemmeno bene cosa significasse. Quella bambina le assomigliava moltissimo: amava gli abiti da principessa, provava a mettere i tacchi, giocava con i rossetti, vestiva le bambole. Benedetta era una super femmina molto diversa da Emma, che al posto della Serenella aveva sognato un pallone di cuoio.

Ogni volta che sua madre l'accompagnava in visita a Bassano, Ferruccio le portava con sé sul Brenta a pescare le trote. Quando Angela le vedeva liberare in acqua, ripensava a quando lui le aveva detto che quei pesci erano come lei.

Pasquale, nel frattempo, chiamava Emma una volta al mese per sapere come andavano le cose con la bambina e puntualmente le dava consigli non richiesti, neanche fosse uno dei centralinisti di Telefono amico. Lei, pur essendo affascinata dai suoi racconti lontani, non si sentiva pronta per incontrarlo, anche se lui si diceva sempre disposto a risalire in ogni momento l'intera penisola perché – glielo ripeteva – dalla Calabria a Trieste bisogna attraversarla proprio tutta l'Italia.

Ogni cosa aveva un tempo, pensava Emma, e lei quel padre non l'aveva mai avuto quando ne aveva bisogno, per cui ora poteva aspettare.

Dopo anni interamente dedicati a sua figlia, barcamenandosi

come poteva al salone di parrucchiere dove continuava a combinare pasticci, Emma decise che doveva dare una svolta alla sua vita.

Benedetta aveva iniziato le scuole elementari, era una bambina sveglia, indipendente e dolce. Come sua madre, anche lei non sapeva cosa fosse un padre, ma le avevano spiegato la situazione senza giri di parole: non c'erano misteri o segreti da scoprire.

Dopo l'ennesimo errore con la permanente di una signora, davvero ingiustificabile visti gli anni di esperienza, Emma capì che non ce la faceva più a sentire le lamentele delle sue clienti con Oreste il quale – essendo affezionato a lei – non riusciva a licenziarla. Qualsiasi lavoro sarebbe andato bene, pur di avere uno stipendio e togliersi da tutto quel cicaleccio inutile: «un po' più corti, un po' più biondi, un po' più ricci, un po' più gonfi».

«Adesso basta» disse un giorno, e non tornò più, con il sollievo di tutte le clienti del negozio.

Dopo giorni di ricerche, Emma aveva trovato solo un posto in una caffetteria, ma anche lì non era sicura di poter sopportare tutte le varianti di caffè che un triestino è abituato a chiedere. «E se facessi le pulizie come Mila?» esclamò. E così, grazie all'aiuto della sua amica che ci lavorava da un po', venne assunta a tempo pieno all'Ospedale Maggiore. Accettò quel lavoro con un po' di preoccupazione – forse era meglio mettere i bigodini – ma mai avrebbe pensato di potersi divertire così tanto. Già solo il modo in cui era vestita, con quel grembiule blu e gli zoccoli, la faceva ridere e sentire come la piccola fiammiferaia. E lei e Mila, un po' per gioco un po' per ammazzare il tempo, s'invaghivano puntualmente di tutti i medici. Poi avevano un criterio di selezione molto semplice: li sceglievano in base all'altezza. I pochi alti erano tutti per Mila, che aveva un debole per ortopedici e chirurghi.

Essendo amiche da una vita e un po' sfortunate – il ragazzo di Monfalcone ne aveva scelta una ancora più alta di lei! – avevano subito collaudato la loro complicità: si coprivano, si davano una mano a vicenda, ridevano e facevano le coreografie di *Step by step* con le scope in mano. Le infermiere del reparto le guardavano con diffidenza, perché le due ragazze erano particolarmente simpatiche ai dottori che, puntualmente, le invitavano a prendere il caffè alla fine del loro giro di visite. Emma aveva deciso di non fare più il maschiaccio: teneva il suo grembiule un po' sbottonato, cercava di camminare ancheggiando e di sorridere a tutti. Le persone che sorridono sono sempre più felici dei musoni.

L'unica persona a cui Emma e Mila davano veramente sui nervi era la caposala del reparto di chirurgia generale: un donnone innamorato del primario e quindi inevitabilmente ostile a tutte le belle ragazze che potessero distrarlo.

Ma loro avevano così poco da perdere che non si facevano problemi, e poi fare le pulizie negli ambulatori di un ospedale permetteva di scoprire tanti segreti.

Armate di scope e piumini, Emma e Mila si addentravano come fatine negli anfratti più difficili, trovando bigliettini pericolosi che confermavano una serie di tresche tra medici e infermiere: "Quando ti vedo passare con il carrello vorrei essere la tua mela cotta" avevano letto una volta. Da allora, ogni volta che vedevano un medico si chiedevano se fosse lui quello del messaggio.

E a furia di pensare alla mela cotta, fu Emma a prendersi una cotta per un chirurgo. Era un uomo sposato, fede al dito, guadagnava sei milioni e mezzo al mese – aveva lasciato la busta paga nell'armadietto e lei gli aveva dato un'occhiata! – e ogni volta le offriva il caffè nella stanza della caposala gelosa. Quando passava per fare le visite allungava sempre l'occhio sul suo décolleté e lei si sentiva un po' puttanella perché glielo lasciava fare.

La caposala s'ingelosì ulteriormente perché bastava un attimo per passare dal chirurgo al primario, per cui quando una mattina Emma e Mila entrarono in reparto lei annunciò con un pizzico di cattiveria che erano state spostate alle lavanderie. Formalmente, una specie di retrocessione.

Non potevano crederci ma, anziché restarci male, gli venne da ridere. Così, durante le pause, cercavano di studiare una strategia perché Emma potesse ancora incontrare il chirurgo che le aveva rapito il cuore. L'unica soluzione fu prenotare una visita nel suo studio privato, e pazienza se costava centomila lire. Lui per lei valeva milioni.

Un pomeriggio, all'uscita dal lavoro, Mila l'accompagnò alla clinica dove il medico riceveva. Emma non aveva però tenuto conto che lui non era solo, ma aveva anche una segretaria e un'assistente. Quando fu il suo turno ed entrò, lui la vide e rimase senza parole.

«Buongiorno signorina... cosa ci fa qui?»

«Eh, ho dei dolori alla pancia.»

Lui la guardò un istante e dal tono di voce capì subito tutto. La guardò con occhi sornioni ma era pur sempre un medico, per cui la fece sdraiare sul lettino e cominciò a farle delle domande: «Ha male qui? E qui?». Lei lo guardava e diceva «no» con la faccia divertita di chi si sente di nuovo adolescente. Il dottore chiese all'assistente di cercargli un documento, si avvicinò a Emma e le stampò un bacio sulle labbra.

«Sei matta» le disse.

«Mi manca, dottore. Per questo sono venuta a farmi visitare.»

L'assistente rientrò in quel momento e diede un colpo di tosse. Imperturbabile, il dottore disse «si rivesta» a Emma come se fosse una paziente qualsiasi: «Signorina lei sta benissimo, non l'ho mai trovata così bene».

La piccola fiammiferaia salutò e si preparò alla batosta andando a chiedere la parcella: quanto le sarebbe costato quel bacio?

Ma la segretaria, scambiata un'occhiata con il medico, le disse: «Non deve pagare nulla perché è già in cura dal dottore». Emma uscì da quello studio sorridente come una scema. Era tornata ragazzina come quando girava felice con il Ciao.

32

Dopo un pomeriggio trascorso con sua figlia in cerca di un nuovo zaino, Emma si era sentita chiedere: «Mamma, mi spieghi perché né io né te abbiamo un papà?» e aveva capito che era arrivato il momento di affrontare quella che per i Pipan assomigliava a una maledizione. Così aveva chiamato suo padre: «Ho bisogno di parlarti» gli aveva detto «e questa volta voglio farlo di persona».

Pasquale aveva accolto quella decisione con gioia. Dalla loro prima telefonata erano passati sei anni. Da allora, lui chiedeva continuamente a Emma di incontrarlo, e lei rispondeva che prima o poi sarebbe arrivato il momento giusto. La domanda che le aveva fatto Benedetta, in realtà, era di nuovo una scusa. Così come lo era stato sapere se c'erano malattie genetiche in famiglia.

Per tutto quel tempo, da quando lo aveva ritrovato e gli aveva chiesto le fotografie, aveva pensato di non incontrarlo per punirlo. Ma era giunto il momento in cui la rabbia non aveva più senso e bisognava arrendersi al sentimento.

Emma decise di iniziare quella settimana scombinando la sua routine di lavoratrice indefessa. Chiese alla caposala qualche giorno di ferie, e lei glielo concesse pur di togliersela un po' di torno. Poi chiamò sua madre a Bassano.

«Ho deciso di incontrare mio padre.»

«Ah. E quando?»

«Domani. Ti porto la bambina, tanto lei ti adora, tu la adori e state un po' insieme. Non me la sento di lasciarla qui ai nonni. Io poi prendo un treno.»

«Perché, dove lo incontri?»

«In Calabria. Voglio vedere dove vive.»

Angela era rimasta di sasso ma non voleva darlo a vedere. Non voleva dirle quanto una mossa del genere avesse ancora il potere di destabilizzarla e metterla in discussione. Proprio mentre cucinava con amore un nuovo tipo di pasta per Ferruccio: aveva trovato la ricetta sul calendario di Frate Indovino.

Il giorno dopo Emma preparò una borsa leggera e prese con Benedetta il primo treno per Bassano.

Quando scese alla stazione, Angela era già lì, sola. La sua amica Gilda aveva preferito non andare: «È tua figlia, è importante che vi parliate voi due» le aveva consigliato. E Angela si era presentata con dei gigli per lei e la Barbie Sirena per Benedetta.

«Ho pensato che non ti avevo mai regalato dei fiori.»

«Ma mamma, sai che sono un maschiaccio. Questi fiori sono bellissimi, ma dove li metto visto che stanotte parto?»

Parlavano e camminavano, mentre Benedetta stava in mezzo a loro tenendo la mano della nonna e della mamma. Prima di arrivare a casa, Angela le offrì un prosecco al Danieli, il bar dove andava sempre con Gilda, perché ci teneva che tutti vedessero che aveva anche una figlia e una nipote, in quel suo solito goffo tentativo di sistemare le cose allo scadere del tempo. A Bassano Angela veniva sempre vista come una difficile da inquadrare, anche se, da quando camminava mano nella mano con Ferruccio, avevano iniziato a sorriderle di più.

«Quindi sei proprio convinta di andare.»

«Sì.»

«E se mi presentassi io, al tuo posto?»

Emma era basita.

«No, mamma... non ti presenti tu. Tu mi fai il favore di occuparti della bambina.»

«Certo, ma sappi che tuo padre ti ha mollato ancora prima che tu nascessi.»

Si guardarono a lungo negli occhi, come in un duello, e fu Angela a soccombere. Ormai aveva la certezza di non essere stata una buona madre e continuava a non esserlo. Ordinò un altro prosecco e non aggiunse molto.

Chiese però a Emma di accompagnarla a salutare Ferruccio in osteria. Lui le accolse con un sorriso e un po' di baccalà alla vicentina: le voleva un bene che Emma non credeva di meritare.

Angela osservava la scena e si chiedeva perché lei cercasse sempre di complicarsi la vita. Stava ritrovando sua figlia, aveva recuperato un marito, aveva una nipotina bellissima, ma non riusciva a liberarsi dell'idea di Pasquale.

Prima di salutarla, prese Emma da parte e le disse: «Quando lo vedi, poi, raccontami com'è. Dimmi se è ingrassato, se ha ancora i capelli. E chiedigli se si ricorda ancora di me».

«Di chi parli, nonna?»

Benedetta intervenne con il solito tempismo dei bambini. La nonna la guardò e le accarezzò il viso, mentre aspettava che Emma rispondesse qualcosa.

«Parlo di un uomo. Un uomo che avevo conosciuto tanti anni fa.»

«Quando eri giovane?»

Emma s'intromise prontamente.

«Benedetta, la nonna è ancora giovane. Non vedi come è bella?»

La piccola annuì. Angela guardò Emma e le disse «ora vai» e appena la vide salire sul treno pensò che avrebbe fatto di tutto per essere lei al suo posto. Perché non aveva mai preso il treno fino a Santa Severina? Perché non aveva fatto un tentativo?

Forse perché non voleva perdere.

In realtà, Angela sapeva benissimo che sarebbe stato tutto inutile, perché conosceva la situazione meglio di chiunque altro. Era terrorizzata che Emma s'innamorasse di quel padre che non aveva mai avuto, e che magari si trasferisse da lui. Era completamente in balia di questi pensieri nefasti quando Benedetta le chiese: «Nonna, ma tu e quel signore vi eravate baciati?».

«Queste cose non si dicono alla tua età.»

«Ma nonna! Biancaneve quando il principe la bacia si sveglia. Non ti ricordi? Me lo dici sempre tu.»

Angela prese la piccola per mano e l'aiutò ad attraversare la strada. Il cielo era cupo, come il suo stato d'animo. Arrivarono a piedi fino al Ponte Vecchio, che Benedetta guardò come fosse un grande giocattolo Lego. Scelse di fermarsi nel punto preferito da sua nonna, rivolta verso il monte Grappa.

«Ma la mamma quando torna?»

Benedetta cercò di risvegliare la nonna di colpo assente.

«Presto, vedrai... molto presto. Prima deve vedere questo signore.»

Angela aveva addosso un'agitazione che non riusciva a controllare. Sapere che sua figlia avrebbe rivisto Pasquale comunque la confortava, perché magari le avrebbe portato un messaggio, una lettera, un fiore. Forse sarebbe tornato, e Ferruccio avrebbe capito. Guardò il Brenta e gli sussurrò: «Ti prego, portamelo qui».

Per fortuna Gilda la conosceva così bene che – prima che facesse qualche follia – andò a farle visita a casa. Trovò anche il modo di far giocare Benedetta con la Barbie Sirena, portando un po' di allegria.

Anche Emma non riusciva a stare ferma in quel treno affollato che l'avrebbe portata a Padova, dove poi avrebbe preso la Freccia del Sud.

Non sapeva come avrebbe dovuto chiamarlo: Pasquale? Papà? Pà? Lo avrebbe dovuto abbracciare? Lo avrebbe dovuto sgridare? E se poi era molto diverso dalle foto?

Non riusciva a smettere di pensarlo. Lei era una guerriera che ce l'aveva sempre fatta da sola. Senza padre, senza madre, adesso anche senza marito. Aveva solo il suo cuore e due ali che chissà chi gliele aveva messe. Le ali che adesso le stavano facendo attraversare l'Italia in un treno che odorava di pelle e di tante persone.

33

Emma arrivò a destinazione senza aver capito bene come. Ebbe la sensazione di averci messo meno da Padova a Lamezia, che da Lamezia a Crotone. La cuccetta era comoda, ma l'aveva tenuta sveglia una signora che russava così tanto da farle pensare che si stesse sentendo male. In realtà, non sarebbe riuscita a dormire neanche se ci fosse stato il silenzio assoluto. A un certo punto si era alzata, era uscita nel corridoio e si era messa a guardare fuori.

Le sembrava di non arrivare mai, un po' come era successo con la sua ricerca della verità. Quando il controllore dell'ultimo trenino annunciò «la prossima è Crotone», Emma capì che era giunto il momento. Lei, eterna campionessa, cavallo di razza, ragazza atletica, impavida fuoriclasse, aveva di colpo i dubbi di chi sta per affrontare un appuntamento galante, ma al buio. Peccato che fosse con un genitore.

Appena scese, venne investita da un'ondata di caldo che forse avvertiva solo lei. Non sapeva se stava facendo la cosa giusta, ma crescere da sola significava soprattutto non ascoltare mai nessuno. E da soli si sbaglia di più. Vagava incerta sul binario quando riconobbe suo padre. Mentre tutti si muovevano Pasquale stava fermo, con un borsello a tracolla e lo sguardo fisso avanti, a cercare una risposta prima che una persona. Lui vide due occhi uguali ai suoi e non ebbe dubbi. Allora smise di sbattere le ciglia: era sua figlia e non era mai stata sua figlia. Era una parte di sé e una perfetta sconosciuta.

Anche Emma lo riconobbe, lo conosceva a memoria dalle foto. Pensava di essere più emozionata dimenticandosi che era sempre stata un'agonista e che aveva vinto tante gare proprio per la sua capacità di gestire i nervi.

Accelerò il passo, allungò la mano e disse: «Piacere, Emma».

«Ciao, io sono Pasquale.»

Si salutarono come se fosse il loro primo incontro. Lui non ce la fece a dire "sono tuo padre" come aveva pensato in un primo tempo a casa. Le prese il borsone e lei lo lasciò fare, sentendosi subito più leggera. Si guardava intorno pensando che tutti si voltassero a osservarli, come se fossero due personaggi famosi. Ma nella confusione, non li filava nessuno.

«Allora, hai fatto buon viaggio?»

«Insomma, c'era una che russava.»

«Ma anche io russo!»

Emma sorrise. Già le faceva simpatia quel signore che le diceva che russava e la tempestava di domande.

«E l'ultimo tratto è stato pesante? Sei contenta? È la tua prima volta in Calabria? Ti piace mangiare piccante?»

Emma non sapeva cosa rispondere perché era frastornata. Era stanca e al tempo stesso sollevata, come se vedendo suo padre si fosse tolta un peso dallo stomaco. Lui la fece salire in macchina e le disse: «L'ho fatta lavare per te». Aveva una specie di fuoristrada che profumava di Arbre Magique, con un rosario che penzolava dallo specchietto. Il cruscotto era pieno di cassette dei Nomadi, il suo gruppo preferito.

Era una giornata piena di azzurro, e questo rilassava Emma perché le ricordava Trieste. Pasquale fece subito una sosta alla pescheria Pesce calabro di suo fratello. Appena li vide entrare, lui rimase un po' sorpreso.

«Indovina chi è questa ragazza.»

«La professoressa di tuo figlio?»

«Ma no, dài. Ti ricordi a Trieste...?»

Bastarono quelle parole, e suo fratello capì immediatamente. Ma Pasquale voleva dirlo a tutti i costi.

«È mia figlia. È venuta a conoscermi.»

Il fratello li guardava con gli occhi sgranati, tra la sorpresa e il rimprovero. Si erano impegnati tutti perché quella storia venisse dimenticata, e la famiglia gli aveva fatto da scudo: ora, dopo anni, lui la tirava fuori dal cilindro.

«Stai tranquillo, a casa non lo sa nessuno, né mia moglie né mio figlio. Volevo che fosse una cosa solo mia... solo nostra. Ma ci tenevo a fartela vedere.»

«È una bellissima ragazza. Attenti solo a non farvi vedere in giro.»

Emma continuava a osservare la scena perplessa, ma più passava il tempo più quell'uomo le piaceva. Fin da piccola aveva sempre vissuto un po' di nascosto, con la sensazione che sulla sua infanzia non si potesse mai dire veramente la verità. Ora invece suo padre parlava apertamente di lei e – soprattutto – l'aveva presentata come "sua figlia". Per Emma quel riconoscimento fu una sorta di legittimazione che le diede maggiore sicurezza. Di quell'uomo si poteva già fidare un po'. Anche se appena uscirono aggiunse: «Avrei voluto portarti a Santa Severina, ma lì ci abito e mi conoscono troppe persone... oggi è meglio di no. Per cui andiamo in uno dei miei posti preferiti, Le Castella. Lo conosci? Sembra il castello delle fiabe sul mare».

«Mai sentito.»

«Beata te.»

«Perché?»

«Perché ti piacerà.»

Emma era un po' tesa e ascoltava ogni frase con troppa attenzione come se lui gliela pronunciasse in una lingua straniera. Più che l'incontro con suo padre, assomigliava a un colloquio di lavoro in cui ti sforzi di fare una buona impressione. Lui, invece, tirava dritto per la sua strada e decise di portarla a mangiare all'Aragonese dove lo conoscevano tutti, e salutò il proprietario dicendogli: «Lo sai chi è questa ragazza? Mia figlia. Una figlia che non vedevo da tanti anni».

Quel piccolo rischio che decise di correre era il suo modo per chiederle scusa. Si sedettero a un tavolino con vista sul castello, ma erano troppo intenti a guardarsi per osservare il mondo intorno a loro. Fu Emma a dirgli la prima cosa seria da quando si erano incontrati.

«Quindi non è vero che non mi volevi.»
Pasquale diede un sorso al vino con la calma che solo il tempo può dare.
«Prima di tutto ti devo dire che tu sei mia figlia ma non puoi considerarmi padre. Né in teoria né in pratica. Perché me ne sono scappato da te, da tua madre, da Trieste. All'epoca mi sentivo obbligato ma sappi che nessuno obbliga mai un calabrese. Se un calabrese una cosa non la vuole fare non la fa.»
«E perché allora te ne sei andato?»
«Ero giovane e dipendevo dalla mia famiglia, da quel che mi dicevano di fare. Io all'epoca ero un vero dongiovanni, a mia moglie ne combinavo di cotte e di crude.»
«Quindi mia madre è stata l'avventura di una sera?»
«No.»
Pasquale rispose subito, e poi prese tempo, mentre Emma in cuor suo festeggiava. Le sarebbe dispiaciuto sapere di essere nata per sbaglio, dopo una notte distratta.
«Tua madre era una ragazza magica. Aveva questi capelli sempre gonfi, metteva le minigonne. Però se poi la conoscevi era timida, quasi insicura. Non si vedeva mai bella. Ci ho messo un bel po' a convincerla a uscire con me. La vedevo sempre in pasticceria, ci andavo apposta! Ma non le dicevo che ero sposato, che avevo una moglie, che da due anni stavamo provando ad avere un figlio. Le avevo fatto capire che ero solo.»
«Intanto l'hai messa incinta.»
«Sì, ma non subito. Ci siamo frequentati, ci siamo baciati, abbiamo passato un sacco di serate da Libero a bere e cantare, poi abbiamo fatto l'amore... non una volta ma tutti i giorni. Appena finivo al mercato andavo in un appartamentino che avevo affittato in centro. All'epoca guadagnavo davvero tanti soldi. Quello era il nostro nido d'amore ed è sempre stato stupendo.»
Emma non avrebbe mai pensato di scoprire così la storia delle sue origini. Ascoltava sempre più incuriosita.
«Ed è stato solo l'egoismo che mi ha portato a volerti incontra-

re davanti a una pizza un po' di anni fa. Eri solo una ragazzina... e dimmi: come sta Angela?»

«Anche lei mi chiede sempre di te. È una donna un po' triste, anche se ultimamente mi sembra più serena. Vive a Bassano con suo marito, che ha cercato di farmi un po' da padre, ma io non lo volevo.»

«Perché non ha avuto altri figli?»

«Dice che io basto e avanzo.»

Pasquale sorrise con un po' di amarezza.

«Io invece ho avuto un figlio, un maschio. E spero un giorno di fartelo conoscere.»

«Mamma dice sempre che io dovevo nascere maschio. Che se fossi stata maschio sarebbe stato tutto più semplice.»

Pasquale restò per qualche istante imbambolato davanti a un piatto di spaghetti con le vongole.

«So perché lo diceva: perché se tu fossi stata maschio, io ti avrei dato il mio cognome. Sai come siamo noi meridionali, ci teniamo al cognome.»

«Io non so come siete, perché sono di Trieste. Conosco gli jugoslavi.»

«Lo dici a me. Facevo il jeansinaro. Non sai quanti ne ho visti, quanti jeans gli ho venduto. Andavano fuori di testa per i Rifle. E tua figlia come sta?»

Non riuscì a dire "mia nipote".

«Benissimo, è una bella bambina, anche lei senza padre.»

Per qualche istante non si dissero nulla.

«Mi hai portato le foto che ti avevo chiesto?»

«Certo, ho fatto un album per te. Poi te lo faccio vedere...»

Pasquale invitò Emma ad assaggiare la 'nduja e le raccontò come la faceva sua nonna a casa.

Quella parola, "casa", Emma non l'aveva mai intesa come tutti gli altri. Per lei la casa era il mondo, o almeno la sua città. Chi avrebbe mai detto che avrebbe preso un treno di notte per mangiare specialità calabresi? Mentre pensava che in fondo non le era andata così male, squillò il suo primo telefonino, che era in realtà un telefonone. Era sua madre.

«Dove sei?»
«In che senso dove sono? In Calabria, lo sai. Sono venuta a trovare mio...»
«Devi tornare a Bassano. Benedetta sta male.»
«Come sta male?»
«Non lo so... non si sente bene, vomita... devi tornare subito.»
«Ma mamma, chiama un dottore... io sono qui con lui.»
«Io da sola non ce la faccio.»
Dopo poche battute, Emma mise giù preoccupata e ferita. Aveva un sospetto ma nessuna prova, però qualcosa non le tornava. Guardò suo padre e gli disse: «Devo ripartire. Mia madre dice che la bambina è malata».
«Prima finisci la pasta» le rispose lui come se avesse ancora sette anni. Aveva voglia di farle una carezza, di consolarla, ma il clima era cambiato di colpo.
«Tua madre è gelosa di me.»
«Sì, lo penso anch'io.»
«Perché?»
«Perché prima di mettere giù mi ha chiesto di salutarti, e se fosse stata veramente preoccupata non lo avrebbe mai detto. E tu, pensi ancora a lei?»
Emma non aveva resistito.
«Tua madre è una delle cose più belle che ho avuto. Ridevamo tanto... quanto rideva tua madre. Lo fa ancora?»
«Io credo di non averla mai sentita ridere. Solo qualche volta con lo zio Riccardo.»
A Pasquale si aprì una finestra sul passato che aveva voluto tenere sigillata fino a quel momento.
«Riccardo e tuo nonno vennero a casa mia quando tu eri appena nata. E mia moglie scoprì tutto da loro.»
«Sì, lo so. E lei c'è sempre?»
«Sì, ma io sono rimasto un ragazzino che si distrae con la prima che passa, non sono mai cambiato. Forse tua madre sarebbe riu-

scita a cambiarmi, ne sarei stato gelosissimo ma ormai non so se ha senso parlarne.»

«Perché?»

«Perché il tempo scorre e non ti lascia quasi niente, più rimpianti che ricordi. Ma adesso dobbiamo parlare di te. Visto che il treno c'è solo stasera, scendiamo un attimo a vedere il mio mare?»

Uscirono dal ristorante senza nemmeno finire il pranzo. Il mare Emma lo aveva visto tante volte, ma quello era diverso, era di un azzurro più acceso, la schiuma più bianca. E poi quel castello così giallo che si stagliava orgoglioso le riempiva gli occhi come se avesse fatto un viaggio nella Storia. Forse era il suo stato emotivo che la rendeva particolarmente sensibile a tutto. Pasquale iniziò a canticchiarle «Io, vagabondo che son io» che il vento spargeva nell'aria. Era l'inizio della stagione estiva e in giro c'erano pochi turisti. Costeggiarono la strada intorno al castello, circondato dagli scogli e dal mare. Le onde erano talmente alte che schizzavano beffarde. Una li colse di sorpresa bagnandoli completamente. Per un attimo, davanti all'acqua in arrivo, Emma cercò la mano di suo padre, che la tirò accanto a sé, staccandosi subito dopo. Fecero il giro sull'altro lato del castello, dove il mare era meno agitato e non c'era neanche l'ombra di un bagnante. Si sedettero su uno scoglio ad asciugarsi, vicini ma senza toccarsi.

In lontananza, il grecale sollevava le nuvole dando all'orizzonte contorni quasi magici.

«Vedi? Quella si chiama la foschia della lupa... e viene sempre all'improvviso, come hai fatto tu.»

«Io però sono venuta qui per farti una domanda.»

«Spara.»

«Devi dirmi che cos'è un padre. Me lo ha chiesto mia figlia e non ho saputo risponderle.»

Pasquale ci pensò a lungo.

«Un vero padre è chi si butterebbe sempre in mare per te, anche se non sa nuotare. Purtroppo io l'ho capito tardi.»

«Forse per questo sono così brava nei tuffi.»

Restarono qualche minuto a guardarsi negli occhi, senza aggiungere molto.

«Ora però vorrei andare e stare un po' sola. Sono stanca, ho fatto un lungo viaggio e dovrò farne uno altrettanto lungo.»

«Mi spiace.»

«Spiace anche a me... non sono mai stata fortunata.»

Dopo aver detto quella parola, Emma si commosse. Pasquale, dal canto suo, non ce la fece a trattenersi e provò a farle una carezza, ma lei lo respinse. Non era pronta, non voleva quel contatto e lui non se lo meritava.

Dall'altra parte dell'Italia, Angela sapeva che stava facendo qualcosa di sbagliato, aveva lottato con tutta se stessa prima di chiamare, e appena la bambina aveva accusato un lieve mal di pancia ne aveva approfittato per quella messa in scena. Dopo la telefonata, aveva preso Benedetta in braccio e le aveva sussurrato: «Vedrai che quando arriva la mamma il mal di pancia ti passa».

Benedetta l'aveva guardata stranita e anche Ferruccio non era stato da meno.

«Perché hai detto questo a Emma? La bambina non mi pare sia grave.»

«Che ne sai tu di come sta una bambina... è mia nipote.»

Ferruccio aveva incassato e, intelligente come al solito, aveva finto autentica preoccupazione, offrendosi di aiutarla: «Vado in farmacia? Chiamo il dottore? Avviso Gilda?».

Angela aveva risposto solo «aspettiamo», che era poi il leit motiv della sua vita.

Quando Emma arrivò a Bassano, dopo un viaggio infinito, entrò in casa di sua madre come una furia e chiese subito: «Dov'è?», pensando di trovare la bambina moribonda. Benedetta invece stava giocando con la Barbie Sirena come se nulla fosse.

34

Emma e Benedetta arrivarono a casa stravolte. La città mise loro tranquillità, perché Trieste, per chi ci è nato, è una grande mamma. Chi la trova distaccata non ha mai capito che quel golfo è un abbraccio, e quei monti sono spalle su cui consolarsi.

Entrando in cucina, Emma vide i suoi nonni un po' più acciaccati del solito, ma sempre lucidi. Gli anni erano piombati all'improvviso sulle loro spalle, anche se il nonno adorava Benedetta e appena poteva le raccontava di «quanto si stava bene quando c'erano gli austriaci».

Suo padre, dopo l'incontro in Calabria, aveva iniziato a chiamarla ogni giorno per farsi raccontare della bambina. Voleva sapere cosa faceva, i suoi progressi, se aveva amiche, se giocava con le bambole.

Per un mese, chiamò tutte le sere.

Poi passò a un giorno sì e un giorno no, cercando un equilibrio. Era convinto che in quel modo potesse recuperare il suo rapporto con il passato. Una mattina, dopo settimane, la telefonata fu un po' diversa.

«Ho bisogno di rivedere Angela.»

Emma pensò a tutte le volte in cui sua madre gli aveva chiesto di lui.

«Se vuoi vederla... è a Bassano, lo sai.»

«Sì, lo so. Ma è da quando ti ho rivista che ci penso e credo che sia giusto incontrare la madre di mia figlia. Tu ce l'hai il suo numero?»

«Be' sì. È mia madre. Ma ricordati che è sposata.»

Emma agì d'impulso. Come sua madre, anche lei era un po' gelosa ma non aveva alternative.

Pasquale incassò quella specie di monito e dopo poco ricevette un sms con la parola "mamma". Non aveva mai associato Angela a quella parola. Per lui era un fiore, un rimpianto, una foto sbiadita, un bacio e un no. Non esitò un momento e la chiamò.

«Ciao sono io.»

«Io chi?»

«Sono io, non ti ricordi?»

Angela aveva capito benissimo, ma era troppo vero per crederci, così si schermì dietro i dubbi. Lui poteva essere cambiato nell'aspetto, ma la sua voce era rimasta identica. Restò imbambolata dalla gioia, perché da settimane sperava succedesse, e trovò la forza di dire il nome che per anni aveva sempre e solo sussurrato.

«Pasquale...»

«So che qualcuno ti ha parlato di me.»

La confidenza che lui provava a prendersi venne subito smorzata.

«Emma. La figlia che non abbiamo saputo crescere.»

«E pensare che avremmo potuto.»

«Non usare il noi... sei tu che te ne sei andato... e io non ho avuto la forza di restare.»

«Come stai?»

Le domande più semplici possono spalancare situazioni complesse. Ma lui gliel'aveva chiesto con un tono così confidenziale che lei aveva ceduto subito.

«In questo momento, te lo confesso, sono contenta.»

«Io voglio vederti, Angela.»

Il Brenta fuori dalla finestra sembrava essersi fermato e Angela con lui. Era terrorizzata che la linea cadesse, per cui cercò di restare immobile.

«Io invece non so se voglio vederti. Già anni fa, quando hai voluto incontrare Emma... ti ricordi quella pizza?»

«Certo.»

«Ah sì? Mi avevi detto che saresti tornato, che mi avresti chiamato, poi sei sparito di nuovo. Per anni. E io, come una scema, sempre qui ad aspettare. Ciao.»

Angela mise giù. Aveva perso all'improvviso la calma. Era arrabbiata con se stessa perché, ancora una volta, era caduta in un meccanismo di cui era succube. Sapeva benissimo che quell'uomo l'aveva distrutta, ma continuava a pensarlo come una ventenne – a desiderarlo – ed era bastata una chiamata per mandarla di nuovo in tilt.

In fondo, lei era molto più fragile che egoista, ma non ne aveva piena consapevolezza. Aveva solo un'amica con cui parlarne e un marito che sapeva tutto senza che lei gli spiegasse niente.

Pasquale invece era sorprendentemente crollato. Vagava davanti al castello di Santa Severina pur sapendo di non aver diritto alla compassione. Da conquistatore indomabile era convinto che le sue donne lo avrebbero sempre aspettato. Ma Angela non era affatto uguale alle altre. Era una donna difficile, inquieta, in preda a una sorta di follia. E, per l'ennesima volta, lo aveva spiazzato.

Fece un giro in piazza, salutò i vecchietti che giocavano a carte al bar, e attese qualche istante.

Chiamò subito Emma per raccontarle come erano andate le cose. Si aspettava comprensione, almeno da lei, e invece ottenne una risposta lapidaria.

«È una questione che non mi riguarda.»

Nel giro di poco, Pasquale si vide sbattere il telefono in faccia dalle donne più importanti della sua vita.

Emma un po' l'aveva sorpreso, ma lei in quei giorni aveva a che fare con un problema molto più importante dei vecchi affari di cuore di suo padre: il lavoro. La caposala aveva continuato a metterle il bastone tra le ruote fino a che un giorno, dopo una lite, si era licenziata dall'ospedale. E per quanto non avesse molte spese vivendo a casa con i nonni, la scuola di Benedetta comportava qualche onere in più. E, soprattutto, mentre Emma aveva fatto di tutto perché sua figlia si dedicasse alla pallavolo, alla ginnastica artistica o al pattinaggio, lei aveva espresso un unico desiderio: andare a cavallo.

Un pomeriggio, per festeggiare un voto bello a scuola, l'aveva portata in un maneggio in Slovenia e lei, da allora, aveva iniziato a disegnare cavalli che neanche una paziente di Freud: danzanti, parlanti, zoppi, neri, bianchi, con la criniera di tutti i colori. Così ogni tanto la portava a montare piccoli pony. E a furia di sentire dire «quanto sono belli i cavalli», anche Emma si era lasciata contagiare da quella passione un po' dispendiosa. Aveva perciò urgente bisogno di un nuovo lavoro. La saggia Mila, che se n'era andata dall'ospedale molto prima di lei, era riuscita a farsi assumere in un'azienda che faceva reggiseni e le disse che il capo del personale era particolarmente attento alle donne sole in cerca di lavoro: «e chi è più sola di noi due?» le ricordò. Così la sua amica si era adoperata per farle avere un colloquio.

Emma si presentò con gli occhi grandi e convincenti di chi cerca una soluzione per poter dare «un futuro più dignitoso a mia figlia». Disse proprio così. E la settimana dopo venne assunta. Le era comunque spiaciuto lasciare l'ospedale e i suoi amati dottori. Ma dovendo scegliere tra le flebo e le tette, era meglio lavorare con le tette, senza la caposala tra i piedi.

35

«Deve essere colpa di Candy Candy.»

Questo pensò Emma un pomeriggio, mentre sua figlia le chiedeva di rivedere la videocassetta di quando la protagonista e Anthony si perdono nel bosco.

L'unico che l'assecondava nella passione dei cavalli era lo zio Riccardo, che quando non presidiava il bagno Ausonia amava andare al maneggio perché lo faceva sentire un po' playboy e un po' cowboy. A volte ci portava anche la moglie friulana, che aveva avuto l'intelligenza di lasciarlo sempre libero. Per questo, quando poteva, era ben felice di accompagnare Emma e Benedetta a Lipizza il sabato mattina.

Il più contento di queste gite era il vecchio Pipan, perché i cavalli lipizzani venivano usati ai tempi dell'impero austro-ungarico nell'alta scuola di Vienna. Erano animali particolari, perché nascevano neri e morivano bianchi per cui bastava osservarli per capire la loro età: «mai innamorarsi di un cavallo bianco» diceva il *vecio* Pipan alla piccola Benedetta, che ovviamente non lo ascoltava.

Mentre la bambina imparava a montare, Emma e lo zio Riccardo passeggiavano nel bosco, e lui le raccontava qualche sua scappatella, soffermandosi su particolari che non sempre Emma voleva sentire: a volte tornavano che la lezione di Benedetta era già terminata e la trovavano seduta con il broncio ad aspettare.

«Sapessi quante volte hanno lasciato sola me, per cui stai tranquilla. Si cresce più in fretta così.»

«Ma io non voglio stare sola.»

«Figlia mia, benvenuta al mondo... ma finché ci saremo io e lo zio Riccardo tu non sarai mai sola. Ti piace questo pony?»

«Preferivo quello dell'altra volta.»

«Un giorno ne avremo uno tutto nostro e non avrai più questo problema.»

Lo zio Riccardo, che era solo da due ore che non combinava un pasticcio, si mise subito all'opera per cercare di accontentare la cocca di casa. Cominciò a telefonare a tutti i suoi amici del porto, sebbene Emma gli facesse cenno di stare calmo, ma lui voleva risolvere in fretta la questione.

Dopo una settimana, chiamò Emma mentre era in fabbrica a prendere le forme alle coppe dei reggiseni.

«Ho trovato il cavallo!»

«In che senso l'hai trovato?»

«Un mio amico conosce uno che alleva cavalli proprio vicino a Lipizza e mi ha detto che c'è un giovane puledro in vendita... costa solo due milioni!»

«Come "solo due milioni"?»

«È un affare. Se il cavallo è tuo avrai molte spese in meno, e potrai montarlo anche tu. Poi vuoi mettere come sarà bello per noi possederne uno? Andremo in giro a dire a tutti che abbiamo un cavallo.»

«Ma a tutti chi? Che conosco quattro gatti.»

In realtà, a Emma l'idea già piaceva. Man mano che vedeva sua figlia appassionarsi a quel mondo, voleva farne parte anche lei. Da sempre sognava di galoppare sul cavallo come nella pubblicità del bagnoschiuma Vidal. Per cui decise di rischiare, e pazienza se fosse rimasta senza soldi. Poi sapeva che sua madre le aveva intestato un libretto alla posta con il denaro che Pasquale aveva lasciato tanti anni prima: «Va bene, domani andiamo a vedere il cavallo».

«Ma ce li hai due milioni da parte?»

«Certo.»

Emma decise che avrebbe portato con sé anche Benedetta. Quando il giorno dopo la svegliò, lei scese in cucina cantando come una pazza «Furia cavallo del West che beve solo caffè».

Riccardo arrivò a prenderle con la solita mezz'ora di ritardo, si rassicurò che Emma avesse i soldi con sé, e uscirono da Trieste con l'impazienza dei bambini in gita.

Giunti a Lipizza, lo zio fece subito lo splendido con il proprietario del maneggio, che si vestiva con stivali e cinturoni, e millantava di amare molte donne anche se in realtà preferiva i cavalieri sloveni. Tutti lo sapevano, ma facevano finta di credergli, e proprio per questo lo chiamavano il "Fiaba". Ma il Fiaba, quando si trattava di cavalli, era un uomo pratico e non cedeva alle lusinghe di nessuno.

«È un cavallo molto particolare e ha anche ascendenze lipizzane.»

Benedetta era già innamorata. Era scuro, con una criniera lunga, sembrava proprio il cavallo dei cartoni animati. Aveva gli occhi dolci e un'inquietudine che lo caratterizzava da subito, anche se si lasciava accarezzare. Stava lì come un peluche e la bambina credeva semplicemente di vivere un sogno e diceva «ti voglio bene mamma» ogni cinque minuti per convincere Emma a comprarlo.

«Per montarlo però ci vorrà un po'» disse il Fiaba, ma Emma non aveva fretta e amava le sfide, per cui tirò fuori la busta con i due milioni e li consegnò a quella specie di sceriffo che non aveva mai venduto un cavallo così velocemente in vita sua.

«Adesso è nostro, Benedetta. Anzi, è tuo. E tu deciderai il nome. Come vuoi chiamarlo?»

«Anthony.»

«Anthony? »

«Sì, come l'amico di Candy Candy che muore cadendo da cavallo...»

«Ma non hai un nome che desti meno preoccupazione?»

«No, mamma. A me piace Anthony. Gliel'ho promesso.»

«L'hai promesso a chi?»

«A Candy. Ma scusa, sei tu che mi hai fatto vedere le videocassette! Che problema c'è?»

Riccardo si sentì in dovere di intervenire.

«Se vuole chiamarlo Anthony, chiamalo Anthony. L'importante è che la bambina sia contenta.»

Benedetta corse ad abbracciare lo zio e subito dopo si avvicinò al cavallo. Era proprio bello, e nella sua incoscienza le sarebbe piaciuto montarlo subito. Riccardo, per fare il figo, provò a salirci sopra, e ancora un po' fece un volo per aria peggio dell'Anthony del cartone animato. Il cavallo iniziò a scalciare e a nitrire come un pazzo. Emma capì che forse era meglio seguire i consigli del Fiaba. «Un passo alla volta» ripeteva tirando il cavallo che nel frattempo sembrava sempre più imbizzarrito. Scalpitava manco dovesse andare al Palio di Siena, e anche le carezze sembrava non gradirle più di tanto: «Le carezze a un cavallo non fanno né caldo né freddo» sentenziò il Fiaba prima di lasciarli.

Dopo aver cercato di tranquillizzare inutilmente il cavallo ripetendo con dolcezza «Anthony non fare così», Emma guardò Riccardo e gli disse: «Mi sa che abbiamo fatto una cazzata».

36

Pasquale sapeva che stava facendo qualcosa di cui forse si sarebbe pentito. Certo, il suo amore per Angela era molto diverso da quello ossessivo che lei provava per lui, rimasta ancorata a quei mesi di molti anni prima e dai quali non si era più spostata.

Ma ogni volta che incontrava una donna – e qualche volta gli era capitato – pensava sempre che nessuna riuscisse a fargli girare la testa come lei. E ora che Emma faceva da ponte tra loro, si era inventato l'ennesima scusa di lavoro con la moglie ed era salito al Nord: «un jeansinaro non è mai sazio di affari» le disse per giustificarsi. Doveva rivedere Angela, e non aveva nemmeno avvisato Emma di questa decisione.

Pasquale arrivò a Bassano sulla sua Alfetta 2.4 turbo diesel dopo aver viaggiato tutta la notte. Pensò che fosse meglio cercare un albergo un po' fuori dal paese per evitare sguardi indiscreti, così si avventurò su per le pendici del monte Grappa. Sapeva che poteva aver fatto mille chilometri inutilmente. I grandi amori sono lunghe corse verso un traguardo che a volte non arriva mai.

Si fermò nel primo hotel indicato, ed entrò in una camera talmente piena di luce che si emozionò. Poi prese il biglietto con il numero che aveva nel portafoglio e la chiamò.

«Angela.»

«Sì?»

«Indovina dove sono...»

Era una domanda che non lasciava margine al dubbio. Angela cercò di non perdere la calma e si guardò intorno, anche se era sola, come se avesse il timore di essere vista.

In quella domanda c'era una speranza, un sogno e un po' di paura. E lei decise di non indovinare.

«Sono a Bassano.»

Silenzio.

«Guarda che io sono sposata.»

«Anch'io sono sposato.»

«Sì, ma io vivo qui... non posso rischiare, non voglio e non so se te lo meriti.»

«Io non me lo merito, ma tu devi solo dirmi se posso ancora incontrarti.»

Angela ci pensò un attimo. Rivide Ferruccio che pescava, che la guardava, che l'aspettava, che la proteggeva. Non poteva fargli questo, ma qualcosa continuava a spingerla nella direzione contraria.

«Sì, dài.»

Rispose cercando di dargli meno importanza possibile.

«Dimmi dove possiamo vederci e ti raggiungo.»

Lei ci pensò un attimo e scelse porta delle Grazie, perché aveva sempre sperato, nei suoi sogni di eterna ragazza, che lui prima o poi l'avrebbe aspettata lì. Prese un'ora di tempo, gli disse che doveva organizzarsi con la Bottega del Baccalà, inventare una scusa con suo marito, invece voleva solo prepararsi al meglio a quel rendez-vous. Aveva finito la sua mezza giornata di lavoro ed era libera.

Per fortuna era appena stata dalla parrucchiera a fare la tinta, quindi i capelli erano quasi a posto. Tirò fuori le cose più belle che aveva nell'armadio, indossò un bracciale a cui era affezionata e si truccò con l'ombretto rosa. Voleva essere ancora "la ragazza con la pistola". Stava per uscire quando decise di cambiarsi di nuovo, per non sembrare una che ci tiene troppo. Si diede una controllata allo specchio che era più un esame di coscienza. Pasquale era tornato e aveva attraversato l'Italia per lei. Mentre camminava nel suo abito a fiori che le tirava un po', Angela sapeva che stava andando di nuovo a sbattere contro il muro.

Lui l'aspettava da mezz'ora dentro la sua Alfetta con l'aria condizionata accesa e la musica di Radio Relax, l'unica che prendeva in quella zona. Non voleva scendere per non dare nell'occhio, e poi aveva paura di abbracciarla, di emozionarsi. Voleva che quell'incontro non avesse nulla di preparato e spettacolare: era una cosa che potevano capire solo loro. E così Angela fu costretta a salire direttamente sulla macchina del tempo. Lui la guardò un istante e ritrovò quegli occhi che non erano invecchiati, perché la luce era rimasta la stessa.

«Mi sei mancata» disse mentre ingranava la marcia, e lei non riuscì a guardarlo perché non sapeva se essere felice o profondamente triste. Non parlava, stava chiusa in quella bolla che è l'amore prima che accada.

«Dove andiamo?» gli chiese con tono vagamente intimidatorio.

Lui la guardò un attimo e le rispose: «in un posto dove ti sarebbe piaciuto portarmi».

Angela non ebbe dubbi e scelse Asiago, perché era quello che voleva diventasse la sua vita: un altopiano dopo tanta salita. Lei in quegli anni aveva continuamente cercato di rincorrere Pasquale, che le era sempre sembrato irraggiungibile. Ora lui le sfiorava la mano e ingranava la marcia per portarla dove voleva. I tornanti sembravano cullare la sua testa in una ninna nanna, mentre Minghi e Mietta cantavano «Vattene amore, che siamo ancora in tempo».

L'arrivo sull'altopiano fu più veloce del previsto e l'accoglienza inaspettata. I prati sembravano colorati dai pennarelli Carioca e le piccole baite che spuntavano tra i boschi davano al paesaggio un che di rassicurante. Parcheggiarono la macchina e si sentirono subito osservati: in realtà, erano andati in montagna vestiti da città. Decisero di fare una passeggiata per evitare di incontrare troppe persone e scelsero la strada del vecchio trenino di Asiago. Il treno, in fondo, era quello che avevano perso e ora quella strada potevano farla a piedi.

In realtà, erano cambiati e non sapevano più cosa dirsi. Erano entrambi insicuri. Il paesaggio riempiva i vuoti delle loro poche parole: i prati gialli per la fioritura del tarassaco, le mucche al pascolo, le colline interrotte da qualche bosco di abeti rossi, bianchi e pini.

Appena si addentrarono nella parte un po' più selvaggia, iniziò a piovere. Si rifugiarono sotto un gazebo senza sapere se fosse di tutti o di una casa privata, ma in quel momento apparteneva solo a loro. Pasquale si avvicinò ad Angela e non ebbe il coraggio di baciarla. Non avevano fretta ma solo paura. Si guardavano e basta, mentre fuori diluviava.

«Sai cosa mi è mancato, in questi anni, Pasquale?»

Angela iniziò a girargli intorno, fino a che si soffermò vicino alla sua testa.

«Per tutto il tempo ho pensato a questa piccola voglia di caffè. Forse perché sono triestina. Noi andiamo pazzi per il caffè.»

Gli prese la mano, afferrò l'indice e lo appoggiò nel punto del collo dove c'era quella strana macchia.

«Questo punto qui, che per tanti è un difetto, a me piaceva perché lo hai solo tu e lo notavo solo io. I tuoi occhi li vedono tutti, ma questa piccola voglia di caffè... questa sarà sempre e solo mia.»

Pasquale rimase senza parole. Si aspettava un confronto più animato, o un incontro di passione feroce, invece Angela lo avvicinò così.

Provarono a ritrovare confidenza per un tempo scandito solo dalla pioggia, fino a che smise, e tornarono indietro. Dietro una curva, prima di rientrare nel paese, videro un furgoncino attrezzato da bar, gestito da una vecchia signora. Alla domanda «cosa volete?», si guardarono entrambi come adolescenti davanti alla richiesta più strana del mondo.

Pasquale ordinò due gazzose, la prima bevanda che gli venne in mente.

«Mi piace un sacco come dici gazzosa.»

«Si sente tanto che sono calabrese?»

Angela, semplicemente, lo imitò.

«Certo che si sente, ed è una delle ragioni per cui mi sei piaciuto.»

«Sai invece cosa mi piace di te? Le tue risposte. Tu mi dai sempre delle risposte che non mi aspetto.»

«Allora in questo siamo simili. Tutte le volte che dovevi dirmi sì, mi hai detto no.»

Pasquale incassò il colpo e lei non riuscì più a essere arrabbiata, perché alla fine era lì che la guardava, mentre lei sorseggiava la gazzosa con la cannuccia. Allora lui infilò la sua in quello stesso bicchiere per poter bere insieme a lei. I grandi amori sono piccole cose.

«Angela, che ne dici se stiamo un po' da soli io e te?»

«Ma siamo già soli.»

«No, intendevo... in camera da me.»

Angela non sapeva se ridere, se dire sì, se dire no, se fare la sostenuta, se lasciarsi andare. Sapeva che se lo avesse guardato negli occhi avrebbe ceduto, allora si soffermò sulla voglia di caffè.

«Tu non hai vergogna di niente, forse era questa la ragione per cui mi sono innamorata. E se poi, una volta in camera, non ti piacessi più? Io sono cambiata, sei cambiato anche tu, vedo...»

«Sono ingrassato?»

Angela gli toccò la pancia e i fianchi senza alcun pudore.

«Io questi rotolini non me li ricordavo.»

«Guarda che vado a correre.»

Lei lo guardò finalmente negli occhi e gli disse: «Non ci sarà nessuna dieta che ci riporterà indietro. Perciò dobbiamo prenderci per come siamo.»

«Quindi non sei più attratta da me?»

«Non è più importante.»

A lei, in quel pomeriggio sull'altopiano di Asiago, tra casette sperdute e paesaggi leopardiani, Pasquale andava bene così.

Fu una sorta di patto di non dimenticanza. Nessuno dei due si era scordato dell'altro e questo era importante soprattutto per Angela.

Lo aveva ritrovato ed era tornato per lei anche a costo di rimanere a mani vuote. Rientrarono in macchina in silenzio, interrotto solo dalle loro mani che ogni tanto si cercavano di nuovo. Quando Angela fu sul punto di scendere, Pasquale si decise a parlare.

«Ora che sono di nuovo in contatto con Emma... forse... forse...»

«Forse cosa?»

«Forse potremmo ricominciare.»

Lei ebbe un momento di terrore e voleva solo scendere in fretta, ma lui aveva deciso di affrontare la situazione e lei doveva ascoltarlo.

«Ascoltami: mio figlio è grande e tra un po' andrà all'università. Per mia moglie sono come un fratello e non mi desidera più. Servo solo per le occasioni di famiglia, per cui potrei anche riprendere i miei commerci a Trieste e ogni tanto torno giù. Così saremmo vicini anche a Emma.»

Era una nuova possibilità, e Angela voleva crederci. E in fondo, come le diceva Ferruccio, lei era un pesce. E i pesci devi lasciarli andare.

37

Più passavano i giorni, più agli occhi di Emma emerse una triste verità: l'acquisto di Anthony non era stata una grande idea.

L'avevano convinta il prezzo basso, gli occhi di suo zio e la storia di Candy Candy, e si sentiva una cretina. In più, si era fatta contagiare dalla "febbre equina" e prendeva ormai regolarmente lezioni dal Fiaba.

Sua figlia, nel frattempo, tra un pony e l'altro, faceva solo disegni in cui montava Anthony, che invece non si lasciava dominare da nessuno. Il lato positivo di quello strano maneggio, per Emma, era che fosse frequentato da gente che parlava solo di criniere, zoccoli, selle, staffe, e lei finalmente si sentiva esperta di qualcosa. E poi i triestini che andavano a Lipizza erano piuttosto bizzarri, e su di loro lei esercitava un certo fascino. Il matrimonio lampo con il Kobra era ormai un ricordo lontano, anche se una volta un amico le aveva portato i suoi saluti da Budapest ed Emma aveva pensato che lei e sua madre trovavano solo dei disgraziati.

Quel pomeriggio, dopo il lavoro, andò a Lipizza. Il Fiaba aveva dei cinturoni sempre più appariscenti, ma mentre le ragazze ne subivano il fascino – Benedetta inclusa – lei lo trovava un po' ridicolo.

«Fiaba, tu mi devi dire cosa fare con il mio cavallo. Ce l'abbiamo da sei mesi ma ancora nessuno riesce a montarlo... tu me l'hai venduto e tu adesso me lo addestri.»

«Eh, ma all'inizio non si capiva. Il veterinario dice che castrarlo non serve a niente, è un problema di testa e non di palle. È indomabile... a meno che...»

«A meno che?»

«A meno che proviamo a chiedere a Darko.»

«Chi è Darko?»

«L'uomo che guarisce i cavalli. Ha girato il mondo, è vissuto in Argentina, è uno che conosce meglio i cavalli delle persone, ma...»

«Ma?»

«Ma non è un tipo facile. Non lavora per soldi, lo fa per passione. Se aspetti, tra un po' dovrebbe passare. Se vuoi puoi provare a parlarci.»

Lei da adolescente era andata da sola al tribunale dei minori per cui nessuno la spaventava. Nell'attesa, trascorse del tempo vicino ad Anthony che, se non lo dovevi montare, era adorabile. Sembrava avesse dei sentimenti, si faceva accarezzare la criniera dai clienti del maneggio, ormai lo conoscevano tutti. Emma era felice di questo protagonismo e in fondo pensava che davvero quel cavallo le assomigliasse. Fosse stato per lei sarebbe rimasto sempre così, libero e ribelle, ma sua figlia voleva montarlo a tutti i costi, ed Emma cercava di accontentarla.

Quando vide arrivare un vecchio Renegade pieno di fango, capì che a bordo c'era Darko, l'uomo dei cavalli. Era un po' più grande di lei, stempiato e ombroso, con la pelle consumata dal sole. Indossava una maglietta usurata, jeans e scarponi imbrattati di fango. Se il Fiaba era la caricatura del cowboy, lui era il ritratto della verità.

Appena il Fiaba glielo indicò, gli si rivolse senza alcun timore: «Buonasera. Mia figlia viene a lezione qui ma abbiamo un cavallo che non riusciamo a montare. Sembra pazzo».

L'uomo la guardò con un filo di sufficienza e l'aria di chi capisce che tu di cavalli ne sai molto poco.

Ma Emma continuava e insisteva: «Però ha una criniera bellissima».

«Se lei è un'amica del Fiaba crede a tutte le storie che le racconta. Guardi laggiù: c'è il monte Taiano, e dalla cima si vede la verità. Quando l'allievo è pronto il maestro compare.»

Emma lo guardò esterrefatta.
«Scusi, ma cosa vuol dire?»
«Quello che ho detto.»
«Ma cos'è, non capisce l'italiano? Mi vuole mortificare solo perché non ho studiato?»
«Neanch'io ho studiato.»
«A me non interessa. Io le ho chiesto una mano per il nostro cavallo solo perché mia figlia ha paura di fare la fine del primo amore di Candy Candy. So che non ne capisco molto ma ormai ho scelto lui, e ho dato fondo ai miei risparmi. E i cavalli non li cambi come i fidanzati.»
Per un istante, l'uomo sembrò mostrare un filo di comprensione.
«Dov'è il cavallo?»
Dopo poco era accanto ad Anthony e lo osservava con aria seria senza smancerie. L'animale era stranamente quieto, ma solo in apparenza. Il Fiaba ridacchiava guardando Emma come a dirle "hai fatto un miracolo", mentre lei non era ancora del tutto convinta. Tutti gli occhi del maneggio erano puntati su Darko facendo salire anche le quotazioni di Emma, da tutti considerata solo la proprietaria del cavallo pazzo. Dopo pochi minuti di attenta osservazione, e di movimenti indecifrabili intorno all'animale, Darko prese Emma da parte e le disse: «Va bene, ho deciso di occuparmene. Però lei non potrà più toccarlo né fare nulla di sua iniziativa senza che l'abbia deciso io, okay?».
«Guardi che è comunque il mio cavallo.»
Darko sembrò perdere la pazienza.
«Ascolti, signorina. Io ho passato la vita a prendermi cura di loro, per cui decido sempre io. Lei mi deve solo dire se le va bene oppure no. Il cavallo non è un cane che vuole le coccole. Quella è un'idea che vi fate solo voi donne romantiche. Il cavallo non si ricorda di voi quando ve ne andate. Ha una memoria molto breve. Deve solo rispondere a un comando, altrimenti reagisce... e lei si fa male. Ha capito?»
Emma non ebbe alternative.

«A me va bene. Mi fido di lei. Ma anche se non mi mette paura le cose le capisco lo stesso.»

Darko la fissò così intensamente che Emma fu costretta ad abbassare lo sguardo.

«Io sono fatto così ma noi non dobbiamo diventare amici, così come lei non deve diventare amica del suo cavallo. Deve solo poter montare Anthony e farlo montare a sua figlia.»

Emma si allontanò in fretta senza nemmeno salutare il suo Anthony. Se aveva memoria breve come diceva questo signore tanto valeva non perdere tempo.

Il Fiaba la fermò mentre saliva in macchina cercando di capire cosa si fossero detti e – soprattutto – per provarci. Per lui era importante far girare la voce che corteggiasse tutte. Si era preso una sbandata per un croato e doveva mettere a tacere anche i più timidi sospetti.

«Complimenti: una che riesce a farsi seguire il cavallo da Darko è una campionessa.»

«Siete voi che siete suoi succubi. Chi si vanta con me non va da nessuna parte.»

«E tu dove vai stasera?»

Seduta al posto di guida, a Emma saltava agli occhi soprattutto quel cinturone inguardabile che rendeva il Fiaba un Terence Hill dei poveri.

«Ora torno a Trieste e stasera sto un po' con mia figlia, e poi ci sono i miei nonni... cosa volevi propormi?»

«Mi piacerebbe portarti a fare un giro e capire come sei veramente, anche se si vede che sei coccola.»

Lei gli disse solo «chissà» e partì sgommando. Però non ingranò bene la marcia e fece la solita figuraccia. Rientrò a casa di buonumore. Lasciava attraversare la strada ai passanti, non si arrabbiava se il semaforo era rosso, sorrideva a tutti.

Il suo cavallo finalmente aveva trovato un istruttore all'altezza, anche se antipatico, e lei aveva avuto la conferma dal Fiaba che in fondo agli uomini piaceva. Le cose non andavano poi così male.

38

Un pomeriggio il Fiaba telefonò a Emma per dirle che Anthony non stava bene. Lei mollò tutto e si precipitò al maneggio, senza avvisare nessuno.

«Darko probabilmente ha forzato con gli esercizi e il cavallo ne ha risentito.»

Emma non ci vide più dalla rabbia e si precipitò nella roulotte dove viveva il mandriano dei Balcani. Bussò neanche fosse la marescialla dei carabinieri.

«Si può sapere cosa c'è?»

«Anthony è zoppo.»

«L'ho allenato ieri e stava benissimo, ha fatto ottimi progressi.»

«Bei progressi... è zoppo!»

Darko s'infilò una felpa e andò a far visita ad Anthony. Dopo avergli dato un paio di ordini, fu evidente che il cavallo zoppicava.

«È solo l'acido lattico.»

«Io chiamo il veterinario.»

«Lei non chiama il veterinario perché le ho detto che è l'acido lattico.»

Ma lei non volle sentire ragioni e per quanto il Fiaba tentasse di dissuaderla, poco dopo un veterinario venne di corsa da Trieste a visitare l'animale. Confermò la diagnosi di Darko anche se, in modo implicito, criticò il modo che aveva usato per allenarlo. Emma era devastata. Per lei Anthony era una rivincita per far felice sua figlia e l'idea che non lo potesse mai montare la mandava in crisi.

Appena furono di nuovo soli, davanti al cavallo che doveva essere Furia e invece sembrava Rin Tin Tin al guinzaglio, Emma decise di affrontare il maestro, e lo fece dandogli del tu.

«Io non mi fido più di te, hai capito?»

Darko le rispose con fermezza.

«Cara ragazza, tu semplicemente non sei pronta. Lasciami stare un po' di giorni con il cavallo e poi ne riparliamo. Ed è meglio se per un po' sparisci e non ti fai vedere.»

Lei era sempre più nera.

«Ascoltami bene, John Wayne. Io ti ho affidato Anthony credendo in te come se fossi l'unico in grado di guarirlo. Io non so chi tu sia, da quale parte del mondo tu venga. Io so solo che ho comprato un cavallo e ho una bambina che ne è innamorata. Vengo da un periodo di merda e questo cavallo mi ha salvato.»

Darko decise di sedersi, esausto.

«A me che il cavallo ti abbia salvato non interessa. Io voglio che tu e tua figlia riusciate a montarlo. Ma capiterà solo se per un po' di tempo mi lasci stare. Ce la fai?»

«Certo che ce la faccio, come no. Sparisco immediatamente.»

Il giorno seguente Emma era di nuovo lì.

Darko non ci poteva credere, ma era talmente spiazzato che non osò dire nulla, anche perché aveva notato che lei flirtava con il Fiaba, e non voleva litigarci. Un giorno lui aveva addirittura regalato alla bambina una sella con su scritto "Benetta"perché l'artigiano aveva dimenticato "de".

Per settimane, Emma andò tutti i giorni a prendere lezioni al maneggio, poi passava a trovare Anthony, spiandone di nascosto i progressi e descrivendoli alla sera a sua figlia al posto delle favole.

Lentamente iniziò a fidarsi di quello strano uomo e un giorno, per magia, Anthony non zoppicò più. Un sabato pomeriggio Emma poté finalmente salire sul cavallo.

Lo fece al passo, seguita da Darko e da un piccolo gruppo di persone che ormai si era preso a cuore questa sorta di sfida collettiva. Ma a Emma non bastava: lei voleva andarci tutti i giorni per il tempo che voleva, perché ormai si vedeva che stava bene.

Un pomeriggio in cui vide che Darko non era al maneggio, prese Anthony e gli parlò come se fosse un animale domestico: «adesso gliela facciamo vedere noi a Darko, eh?». Il tempo di uscire dal maneggio e il cavallo le prese la mano e iniziò ad andare a tutta velocità. Quel galoppo era e sarebbe rimasto uno dei ricordi più belli della sua vita: il paesaggio intorno a Lipizza era verde e selvaggio, e lei si sentiva per una volta padrona del mondo. Al diavolo chi l'aveva presa in giro, e chi non si era preso cura di lei. Ce l'aveva fatta lo stesso.

Peccato che Darko la stesse osservando da lontano, dalla sua bici con cui ogni tanto si avventurava per le strade sterrate per tenersi in allenamento: scuoteva la testa e al tempo stesso non li perdeva mai di vista.

Il giorno dopo, quando lei tornò per una lezione di equitazione, Darko pensò di mortificarla davanti a tutti definendo il suo comportamento incosciente e irresponsabile, visto che avrebbe potuto compromettere la ripresa di Anthony. Tutti guardarono Emma con un certo biasimo e lei si sentì piccola. Appena lui tornò nella sua roulotte lei non ci vide più, ed entrò senza bussare: «Ascoltami bene. Per me tu puoi essere anche il capo tribù delle pampas ma non mi tratti così. Soprattutto: sei sicuro di essere un maestro tanto bravo? E se davvero stavo facendo una cosa pericolosa, perché sei stato fermo a guardarmi anziché bloccarmi? Per umiliarmi davanti a tutti?».

Darko si avvicinò a pochi millimetri dalla sua faccia e alzò la voce come non aveva mai fatto nemmeno con un cavallo: «Ma si può sapere che cazzo vuoi da me?».

E in quel momento, ma solo in quel momento, Emma si rese conto che si era innamorata di lui.

VI

39

Una sera Ferruccio si fece un "mezzo e mezzo" di troppo e al ritorno a casa, senza alcun preavviso, disse ad Angela: «Tu non mi hai mai amato». Lei ci aveva pensato un attimo e gli aveva risposto: «Forse no» e si era aperta una birra dal frigo.

Rivedere Pasquale l'aveva resa più sicura, e tutta l'empatia che aveva provato per Ferruccio era di colpo evaporata. Non aveva intenzione di incontrarlo di nuovo, per il momento si beava del ricordo sull'altopiano.

Il giorno dopo, inaspettatamente, Ferruccio l'andò a prendere all'uscita della Bottega del Baccalà e la fece salire in macchina. In teoria, doveva essere una sorpresa. In pratica, Angela ebbe una brutta sensazione. In auto lui rispondeva a monosillabi, ogni tanto le sorrideva per tranquillizzarla, e non metteva neanche un cd per alleggerire l'atmosfera. Angela iniziò a essere tesa, ma non aveva molte alternative.

Per una volta, era Ferruccio a imporre il ritmo, a stabilire le regole, a decidere la direzione, che a un certo punto fu chiara: il suo angolo preferito del Brenta.

Questa volta c'era il sole e sulla spiaggetta c'erano alcune persone. Era una bella giornata di primavera, ma Ferruccio non aveva portato con sé la canna da pesca. Invitò Angela a fare quattro passi. Salirono anche sulle rocce che spuntavano dall'acqua senza timore di cadere. Appena furono su quella più lontana dalla riva si fermarono.

«Ho scelto questo posto perché solo qui ci siamo detti la verità, ti ricordi?»

«Certo, quando dicevi che ero come un pesce e che mi amavi per quello.»

«Esatto. Ti amavo.»

Angela sentì il masso cedere un po' sotto i piedi.

«Cosa vorresti dire?»

Ferruccio prese un lungo tempo prima di rispondere. Era un po' che ci pensava, ci aveva bevuto sopra, aveva provato a dimenticare ma poi non ce l'aveva più fatta.

«Io ti ho amato tantissimo e credo di amarti ancora. Ma se prima potevo accettare che tu fossi ancora traumatizzata per quell'uomo che ti aveva lasciato in mezzo ai guai, il fatto che tu ora lo veda di nuovo mi lascia senza parole.»

«Ma cosa dici?»

«So benissimo cosa dico, e per una volta fidati di me. Non vorrei discutere ma voglio che tu sappia questo: io ti ho amato per come ho potuto mettendoci tutto il mio impegno... Ho sopportato un sacco di situazioni senza farti pesare mai niente. Adesso che lui è tornato, che vi siete ritrovati, è giusto che tu decida con chi vuoi stare. Prenditi il tuo tempo, io non ho fretta. Se vuoi partire, vai. Io ti aspetto, e sono pronto a non vederti più. Ma se torni, almeno, so che lo fai per me e non perché hai paura di stare sola.»

Angela incassò quelle parole senza battere le ciglia che tanto curava. Quel fiume aveva qualcosa di magico per loro, forse perché era tra la montagna e la pianura, e la verità sta sempre nel mezzo.

«Ho capito. E ti chiedo scusa... non avrei mai voluto farti del male, ma non credo di esserci riuscita.»

«Però devi sapere cosa vuoi fare.»

Angela distolse lo sguardo da Ferruccio e osservò a lungo l'acqua scorrere. Era il momento di decidere da che parte stare.

«Penso che mi prenderò una pausa, me ne vado a Trieste. Forse è il momento, così provo a chiarirmi le idee. Tu cerca di aspettarmi.»

Il sole era di nuovo scomparso dietro una nube, ma alcuni raggi facevano un effetto particolare, che rendeva il momento stranamente romantico.

Tornarono a casa quasi subito. Avevano usato il Brenta solo per dirsi addio, che poi sembra fatto per questo, con quella malinconia che si porta dietro anche nei giorni di festa.

Al ritorno, Ferruccio e Angela non si dissero più molto. Non erano arrabbiati: se viene dopo anni di bugie, la verità riesce a dare ancora sollievo. L'unica cosa che Angela riuscì a dire, mentre Bassano faceva capolino dietro le curve, fu: «Non avrei mai voluto essere cattiva con te».

Ferruccio le diede una carezza, e lei trattenne quella mano sul suo viso. Poteva essere l'ultima volta che sentiva quel calore che aveva sempre dato per scontato, e iniziava ad avvertire uno strano malessere.

La mattina dopo fece la valigia in fretta, lei che era sempre meticolosa. Forse era arrivato il suo momento, un momento che lei considerava di onestà e che senza Ferruccio non avrebbe mai pensato di affrontare. Angela lasciò la sua casa mentre suo marito faceva finta di dormire. Lo guardò a lungo senza fare nulla.

Si affacciò sul muretto del Terraglio, restò lì qualche minuto e pianse più di una lacrima. Perché lei amava Bassano, con quell'aria di eterno acquerello senza contorni definiti. Ma forse solo l'amore di Ferruccio non poteva bastare a sfamare una coppia, o almeno così credeva. Sentì che, a suo modo, anche lei lo amava. Non era più sicura di niente, ma sentiva che doveva partire per capire.

Salutò il Ponte Vecchio come se fosse una persona, facendogli ciao con la mano. Gli voltò le spalle e continuò a piangere lacrime amare. Era più triste di quanto avesse immaginato, perché quel paesaggio le aveva fatto compagnia anche quando pensava di non valere niente. Poi passò davanti a casa di Gilda, senza suonare, dando un'occhiata alla luce dietro le sue persiane accostate: lei che tra una partita a bridge e uno spritz non l'aveva mai fatta sentire sola.

Salì sul primo treno per Mestre.

Più si avvicinava alla destinazione, più si sentiva rassicurata.

Da Monfalcone non staccò più gli occhi dal finestrino perché non voleva perdersi nulla: il castello di Miramare, i Topolini, quel golfo che le aveva riempito gli occhi.

Ad attenderla alla stazione, a sorpresa, c'era Riccardo. Lui non l'aveva mai abbandonata né condannata, anzi si erano sempre assolti a vicenda, in quel patto speciale di fratellanza.

Si limitò ad abbracciarlo, mentre lui le prendeva la valigia e l'accompagnava verso casa sua, dove l'accolse la moglie friulana che, prima di uscire, le disse sorridendo: «non ci siete solo voi triestini con le braccia aperte: benvenuta».

Rimasti soli, lui versò subito due bicchieri di vino imponendole di stare seduta e non muoversi: «Hai bisogno di calmarti un po'... ma adesso mi devi dire cosa è successo».

E Angela, senza attendere troppo, gli raccontò di quella sorpresa inaspettata di Pasquale, del suo desiderio di tornare a Trieste e – così – di rivedersi.

«E tu gli hai creduto?»

«Non del tutto. Ma Ferruccio non so come ha scoperto le cose, e mi ha chiesto di chiarirmi comunque le idee. E a questo punto forse è giusto così. Ho fatto male?»

«Hai fatto bene. Ma se le cose non andranno come vorrai potresti morire.»

«Io sono già morta, tanti anni fa... quando è nata Emma e ho visto che era una femmina. Lì sono morta e non sono più tornata me stessa. Tu sai bene com'ero e cosa potevo diventare. Invece mi sono rovinata da sola, e probabilmente continuerò a farlo, perché ci sono persone che non sanno smettere di farsi male. E io sono tra quelle.»

Riccardo diede una lunga sorsata di vino. Non aveva molto da dire, era pur sempre un uomo di mare, e non era abituato a conversare con una donna, se non per sedurla.

«Allora, se va male, cerca di prendere esempio da tua figlia: lei è riuscita a vivere senza quel cretino di suo marito, ha cambiato lavoro, ora ha persino regalato a Benedetta un cavallo pazzo come lei. Come noi.»

«Allora sai cosa faccio? Vado a trovarla subito.»

«Ora è al lavoro, ma ci sono i nostri genitori e c'è tua nipote. Se te la senti di affrontarli tutti, vai.»

«Io voglio ricominciare subito.»

Appena i Pipan videro la loro figlia bussare alla porta, sebbene avessero molto da chiederle, tanto per cambiare la fecero mangiare: quella sera Nerina preparò il gulasch.

Angela sorrise a Emma come non aveva mai fatto. Anche la piccola Benedetta rimase sorpresa e da quella sera diede un nuovo senso alla parola "nonna". Per tutta la cena, che il Pipan annaffiò abbondantemente di Teran, Angela sorvolò sulle vere ragioni della sua visita, glissò su Ferruccio e disse solo «era da troppo che non vi vedevo», il che a Emma suonò un po' strano. Perché se era vero che Angela non aveva capito bene chi fosse sua figlia, Emma aveva le idee molto chiare su chi invece fosse sua madre. Così, appena mise a letto Benedetta, chiese a sua madre di accompagnarla in quella che era sempre stata camera sua. Ad Angela sembrò una sorta di ripartenza.

«Perché non dormi qui ma dallo zio Riccardo? È successo qualcosa che non so?»

«Sì.»

«Sento che c'entra mio padre.»

Angela annuì, ma non le confessò che – appena arrivata a Trieste – l'aveva chiamato e gli aveva detto: «sono qui e sono pronta».

«Me lo sentivo. In effetti è da un po' che non si fa vivo. Ora ti ha ritrovato, quindi io non gli servo più.»

Angela non poteva nemmeno dire "piantala" come avrebbe fatto un'altra madre.

«Tuo padre ti vuole molto bene. Gli avevo detto io di aspettare a chiamarti perché volevo confidarti una cosa.»

«Dimmi.»

«Io e Ferruccio ci siamo presi una pausa di riflessione. Poi avevo visto Pasquale che mi ha detto...»

Emma la interruppe.

«Mamma, ascoltami. Adesso io devo pensare solo a me. Quindi se vi rimettete insieme sarò contenta per voi, ma non mi cambia più la vita. Potete fare come vi pare, ma non coinvolgetemi.»

Angela si sentì fuori luogo, senza parole per difendersi, e neppure la gioia per il suo Pasquale ritrovato era riuscita a regalarle un po' di pace.

«So che non basterà un'altra vita per farmi perdonare.»

Emma aveva imparato che a essere troppo duri si ottiene solo rancore. In fondo sua madre l'aveva messa al mondo.

«Non è mai troppo tardi per cominciare a volersi bene, finché c'è un po' d'amore. Tu ce l'hai un po' d'amore per me?»

Angela scosse la testa e si chiese come aveva fatto a partorire un cuore così bello. L'abbracciò senza trovare la forza di dirle niente.

Prima di andare via le fece scivolare un biglietto sotto la porta: "Non sono stata una buona madre, ma so che la vita ti regalerà ciò che io ti ho tolto".

40

Man mano che passavano i giorni, Emma cominciò a rendersi conto che, se davvero era presa dall'uomo che sussurrava ai cavalli, doveva provare a conquistarlo. Con il Fiaba c'era scappato solo un bacio, una sera, e neanche troppo convincente. Così, quando lei gli confessò che non era così coinvolta, lui trovò il coraggio di dirle la verità sulle sue ambiguità sessuali.

«So che tu sai mantenere un segreto» le svelò alla fine, e le diede una pacca sulla spalla con tutte le frange della sua giacca. Poi si raccomandò che lei spargesse voci positive sulla sua ars amatoria ed Emma lo rassicurò: «Stai tranquillo, nella vita ho fatto anche la testimone di Geova». Da allora, sarebbero rimasti per sempre amici.

Così, con la scusa della figlia e con la complicità di Mila, Emma iniziò a uscire ogni giorno un po' prima dal lavoro per poter correre da Darko.

Era un maggio stupendo, pieno di luce, e le montagne sembrava si potessero ritagliare talmente avevano i confini netti. In mezzo a tutto questo, Anthony era e restava la star del maneggio, perché pur essendosi adeguato agli esseri umani, aveva sempre la sua personalità. Quando Emma lo montava, e Darko la affiancava con un altro cavallo, ecco era quella per lei la felicità.

Lui era un uomo che non le dava mai confidenza, perché viveva i cavalli come un lavoro serio e quindi spesso non si rendeva conto di come lo potevano guardare le sue allieve. Era abituato a questa sorta di adorazione, per cui non ci faceva neanche più caso. Lui le vedeva impazzire per i cavalli e gli sembravano tutte delle povere illuse. Non aveva capito però che Emma era innamorata di lui.

«Scusa, mi è scivolata una staffa» gli diceva lei con tono sensuale.

E lui gliela porgeva.

«Adesso mi è scivolata l'altra.»

E di nuovo lui gliela passava come se nulla fosse.

Qualcosa però diceva a Emma che lei non poteva continuare ad aspettare come aveva fatto sua madre rovinandosi l'esistenza. Doveva agire, parlare, provare a cambiare le cose. Perciò, al ritorno da una galoppata, dopo aver sistemato i cavalli nella stalla, Emma chiese a Darko se poteva visitare la roulotte dove viveva.

Lui la guardò spiazzato e, come sempre capita quando vieni preso alla sprovvista, la fece entrare. C'era un gran disordine.

«Ora sei contenta di avermi messo in imbarazzo?»

«Sono contenta perché tu mi piaci, Darko.»

«Ah.»

«Ah cosa vuol dire?»

«Vuol dire che non mi aspettavo che tu mi dicessi questo. Non tu... però devi sapere che io amo un'altra donna.»

«Ah.»

«Cosa vuol dire ah?»

«Neanch'io mi aspettavo che mi rispondessi così. Non ho mai visto un'altra donna qui.»

«È una donna sposata e non posso rendere pubblica questa cosa.»

«Ho capito. Allora ciao.»

Così com'era entrata, Emma uscì lasciando quell'uomo vagamente scosso, come uno dei cavalli di cui si prendeva cura. Tornò a casa facendo finta di nulla, anche se si sentiva una stupida. Scuoteva la testa e pensava che a lei nulla andava mai per il verso giusto. Proprio mentre era giunta all'altezza di Muggia, la chiamò suo padre. Iniziavano a vedersi da lontano le prime ciminiere del nuovo porto.

«Ciao Pasquale...»

Non riusciva a chiamarlo papà.

«Ciao Emma, sai dove sono adesso?»
«No, ma sento che prima o poi verrai a Trieste, vero?»
«Ho una figlia intelligente.»
«Sapevo che lo avresti fatto. Mia madre è tornata a vivere qui.»
«Lo so. Chissà se è una buona idea, ma...»
«Ascoltami Pasquale, l'ho già detto a lei. Io non voglio entrare nella vostra storia, che mi pare complicata anche per voi. In teoria sarei vostra figlia, non l'amica dei segreti. E poi adesso ho i miei problemi da risolvere.»
«Allora lascia solo che ti dica l'unica cosa che ho capito: non arrenderti mai come ho fatto io. Nella vita bisogna stare bene, e c'è solo un modo per farlo: provare tutte le strade. Tu hai dimostrato di avere delle buone gambe, per cui non mollare. Appena arrivo a Trieste, se ti va, vorrei incontrarti e conoscere mia nipote.»
«Vedremo.»
Emma mise giù e fece un lungo respiro di fronte al mare, che non riusciva a sentire perché le macchine in corsa ne coprivano il suono.
Intanto a casa l'atmosfera era cambiata. Pur vivendo dallo zio Riccardo, Angela era spesso in via della Bora. Per cui si ritrovavano a cena tutti insieme, per la gioia del *vecio* Pipan che ormai aveva tre generazioni davanti a sé e pensava che Francesco Giuseppe sarebbe stato orgoglioso di questa stirpe.
Quella sera Emma quasi non aprì bocca, mentre il nonno era in vena dei racconti di quando una volta aveva scavalcato il muretto del Pedocin per entrare nel settore della spiaggia riservata alle donne creando il panico.
Mentre Angela traduceva i discorsi degli adulti a Benedetta, Emma pensava a quanto aveva inutilmente desiderato quei momenti da bambina, quando sua madre veniva a trovarla raramente e veniva rapita dagli zii. Ma con il tempo, anche lo scoglio più spigoloso viene reso più liscio dallo sciabordio dell'acqua.
Emma lasciò tutti in cucina e con una scusa se ne andò a dormire. Era stanca e provata e il rifiuto di Darko l'aveva demoralizzata.
Il giorno dopo, tra un reggiseno e l'altro, ne parlò con Mila che

la conosceva troppo bene per non incoraggiarla: «Devi fare come mi ripete sempre mia zia. Combatti, altrimenti sarai sempre sola come il cane di Zagabria!».

Così, alla fine del turno, si decise e tornò al maneggio. Il Fiaba non c'era, e lei si diresse alla ricerca di Darko.

«Sei di nuovo qui.»

«Sì... ci ho pensato tutta la notte e volevo dirti solo che io capisco che tu ami un'altra donna, anche se ti sembrerà strano. Io non potevo immaginarlo, per cui scusami se ti ho parlato così. Perché vorrei essere comunque tua amica.»

«Perché?»

«Tu hai realizzato il nostro sogno di poter montare Anthony, e mi spiace che tu non sia libero di amare quella donna. Probabilmente devi amarla molto se accetti una situazione simile. Io ho lasciato perdere il Fiaba appena ho capito che mi piacevi.»

Darko la guardò perplesso. Il loro silenzio venne interrotto da una chiamata che lui ricevette sul telefonino: «Come sarebbe a dire che non vieni? Ma come?».

Si guardarono ed Emma capì che si trattava della rivale.

Lui si avventò su di lei con impeto da amante sudamericano. Pur piacendole terribilmente la situazione, Emma lo fermò appena possibile.

«La donna che desideri non può venire e allora tu baci me? Cosa sono, la riserva? Ho giocato per anni a pallavolo e non sono mai stata in panchina. E non ci sto nemmeno oggi.»

Emma girò i tacchi e uscì senza nemmeno voltarsi, lasciando di sasso l'uomo che già amava per come baciava.

41

Dopo l'incontro ad Asiago, Angela e Pasquale si erano sentiti qualche volta: meno di quanto Pasquale avrebbe voluto, ma lei aveva preferito così. In fondo erano due temerari, perché i loro cuori venivano prima dei figli, dei compromessi e delle consuetudini. Così avevano maturato insieme il desiderio di rivedersi.

Una sera che suo figlio era a una festa, Pasquale aveva preso sua moglie da parte e le aveva detto che suo cugino aveva un po' di problemi con il lavoro a Trieste, che doveva salire ad aiutarlo per evitare che fallisse.

Lei non aveva battuto ciglio. Aveva intuito qualcosa – ma solo inconsciamente – e non aveva in mano alcuna ragione logica per opporsi. Il silenzio era il suo unico tentativo di dissenso.

Per cui gli chiese solo «cosa diciamo a nostro figlio?» e lui, senza guardarla, le rispose: «la verità. Che ho un nuovo affare al nord e sarò impegnato qualche mese».

La moglie sapeva che lui prima o poi sarebbe tornato, o ci sperava. Ma mentre Angela quando guardava Emma pensava che quella figlia era stata un ostacolo per il suo amore, la moglie di Pasquale vedeva in suo figlio l'unica ragione del loro matrimonio.

Ci mise due settimane a fare la valigia, Pasquale, e lo disse solo a suo fratello e a suo cugino che doveva reggergli la parte. Gli chiese anche se gli trovava una sistemazione.

Sapeva che Angela lo stava aspettando e voleva almeno farle questa sorpresa, e anche se non aveva le idee chiare, doveva rischiare. All'altezza di Firenze – «Firenze lo sai» cantava Ivan Graziani – Pasquale si fermò in un autogrill per cercare qualcosa da portare in regalo: gli sembrava brutto presentarsi a mani vuote. Si era messo così tanto profumo che gli altri clienti lo guardavano con un po' di sospetto, come se avessero intuito cosa stava per accadere. Mentre cercava qualcosa tra cd e salumi sottovuoto, si rese conto che alla fine non conosceva bene né Angela né Emma.

Comprò chili di cioccolatini di ogni forma e colore, perché non voleva commettere errori e non si rendeva conto che, in realtà, era lui il regalo che Angela aspettava.

Nei pressi di Verona iniziò a sentire un po' d'inquietudine, e anche il piede schiacciava sull'acceleratore in modo più deciso. Ma se c'è una città che ti fa capire le fatiche di una conquista, quella città è proprio Trieste, perché per arrivarci lo devi proprio volere. E lui ora lo voleva con tutto se stesso.

Trovò il golfo come sempre bellissimo, e gli fece paura. Perché ora che era arrivato, doveva mettere in conto che avrebbe potuto perdere tutto: Angela, il rispetto di sua figlia, il rispetto di suo figlio e il rispetto di sua moglie.

Suo cugino lo accolse con commozione, perché si era sempre sentito solo a lavorare lassù, e anche se aveva molti amici calabresi, i parenti sono un'altra cosa, ripeteva.

«Ma tu sei pazzo, lo sai... e io sono più pazzo di te ad averti trovato casa nella stessa zona dove stavi una volta, al borgo teresiano. È un po' più grande però, così state comodi.»

«Io sono un cretino, compare. Ma a più di cinquant'anni, con mio figlio ormai grande, perché non posso inseguire la donna della mia vita?»

«Queste cose le fai da giovane o a ottant'anni. Ma non potevi farti solo una scappata ogni tanto come hai sempre fatto? Se tua moglie lo scopre succede un macello. Perché vuoi complicare tutto?»

«Perché ci sono donne, come Angela, con cui una scappata non ti basta. Con una come lei vuoi solo fuggire. Almeno per un po'.»

Il cugino lo guardò ammirato e un po' lo invidiò.

Ritrovarsi a Trieste fu per Pasquale una bella emozione. L'arredamento dell'alloggio era un po' antiquato, ma non gliene importava. Rimasto solo, guardò l'ora: erano quasi le sette di sera. Era distrutto di stanchezza, ma gli occhi erano sempre sgranati. Chiamò Angela senza pensarci.

«Sono venuto a prenderti.»

«Sei a Trieste?»

«Sì.»

Ogni volta, le stesse palpitazioni.

«Davvero?»

«Sì.»

«E quando riparti?»

Ogni volta, le stesse insicurezze.

«Dipende da te. Ma io non sono venuto qui per parlarti al telefono... voglio vederti. Che fai stasera?»

«Mia madre mi ha invitato a giocare a carte, c'è anche Emma con la bambina e vengono i miei fratelli.»

«Ah. Quindi stasera non puoi.»

«No, mi spiace... dobbiamo rimandare.»

«Ma... come? Io sono venuto dalla Calabria.»

«Io però lo scopro ora. Non potevi dirmelo?»

«Volevo farti una sorpresa.»

«Sei il solito megalomane. Non bastava dirmi che venivi per farmi una sorpresa?»

«Eddai, mi conosci. Domani invece puoi?»

«Sì domani posso.»

«Ma tu... a Bassano... mi avevi fatto capire che...»

«Ne parliamo domani. Pensa a un bel posto dove portarmi. Stasera riposati, sarai stanco del viaggio.»

Angela mise giù, si guardò allo specchio e si fece un applauso da sola. Aspettò che suo fratello rientrasse, passarono in un bar a comprare una torta gelato e tornarono insieme a casa dove tutti sembravano di buonumore. Lei non raccontò a nessuno che Pasquale era tornato e che voleva vederla. Quel sogno era di cristallo e bastava un soffio per distruggerlo. Così restò in silenzio tutta la sera, cercando di vincere a sette e mezzo. Non riusciva a stare concentrata. Fu la sua nipotina, a un certo punto, a dirle: «Cos'hai, nonna?».

Lei le diede un bacio e le disse: «La vita è un bel gioco, ricordatelo sempre».

Emma guardò Angela negli occhi e capì che suo padre era arrivato in città.

42

Quella sera, Emma e Angela avevano lo stesso stato d'animo.

Nessuna delle due si era confidata con l'altra, ma entrambe avevano capito, perché Angela sapeva leggere gli occhi di sua figlia più di quanto lei stessa potesse rendersi conto. Proprio per questo aveva deciso di tornare a dormire per un po' in famiglia, e aveva scelto la stanza che era stata di Riccardo. I vecchi Pipan, dal canto loro, non ci stavano capendo più niente. Avevano trascorso anni aspettando che tutti se ne uscissero di casa, e ora se li ritrovavano di nuovo in cucina. A loro non dispiaceva neanche un po', almeno non si sentivano soli, ma certo gli sembrava una situazione alquanto bizzarra. I più contenti erano i vicini, che con il ritorno di Emma e Angela a San Giusto rivivevano una specie di seconda giovinezza, una di quelle presenze che fanno bene al cuore. Anche perché il quartiere negli anni si era quasi completamente svuotato ed era in preda al degrado.

Nerina aveva messo in tavola la sua amata pinza, poi aveva sbattuto delle uova da fare con caffè e zucchero, e Benedetta si stava già leccando i baffi.

«Posso accompagnarla io a scuola?» disse Angela, ed Emma annuì. Lei, quel giorno, voleva rivedere Darko.

Al lavoro i reggiseni le sembrarono infiniti e le davano anche una certa insicurezza perché le tette delle altre donne le sembravano tutte più grandi delle sue, e Mila la prendeva in giro per questo: «Tu devi pensare che le tette senza testa durano solo il tempo di una ciulatina».

Quando finirono le otto ore, anziché correre fuori come al solito, le due si chiusero nel bagno della ditta, perché se Emma doveva giocarsi l'ultima partita, doveva farlo bene. Così cercò di raccogliere i capelli in una coda alta, mentre Mila le metteva l'ombretto per osare un po'. L'accompagnò alla macchina come fosse una scolaretta.

Emma partì spavalda come al solito – stavolta ingranò la marcia – per poi ridimensionarsi alla prima curva perché in realtà al volante non era poi così brava.

Appena arrivata al maneggio, si mise a girare alla ricerca di Darko. Per la prima volta, non era Anthony il primo destinatario della sua visita. Lo cercò ovunque ma sembrava scomparso, e non le restò che controllare se era nella sua roulotte. La bici era parcheggiata fuori, per cui bussò. Dall'interno arrivava un vociare antipatico, ma lei era ancora piuttosto confusa e attese.

La porta si aprì ed Emma si trovò di fronte una donna più grande di lei che la squadrò dalla testa ai piedi e allontanandosi si voltò indietro e disse acida a Darko: «Divertitevi. Complimenti».

Emma stava per metterle le mani addosso, e lui non solo la fermò, ma la pregò di entrare.

«Mi hai salvato... non pensavo venissi.»

«Non eri tu che amavi un'altra donna?»

«Ci ho pensato, e questa storia non ha senso. Oggi gliel'ho detto. Vedersi così, sempre di nascosto. Io amo i cavalli ma non sono un animale. E ho bisogno di trovare una persona che mi faccia stare bene e...»

«E?»

«E adesso vieni qui.»

Darko la tirò a sé come nella girandola di un ballo e le diede un bacio. Nella roulotte regnava solo il suono dei loro respiri e i movimenti delle mani di Darko che galoppavano veloci sul corpo di Emma.

«Non ti sembra di correre troppo?»

Darko si fermò subito.

«Hai ragione. Andiamo a farci un giro, ti porto in un posto che conosco.»

E senza aspettare una risposta, la prese per mano e la portò da Anthony. Poi andò a prendere il suo cavallo e uscirono insieme. Ma a Darko piaceva la velocità ed Emma non voleva essere da meno, anche se non aveva proprio l'abbigliamento adatto.

Il cielo di quella sera preannunciava l'arrivo dell'estate, con quei colori prolungati che invitano a essere speranzosi. Darko ogni tanto si voltava per vedere se Emma e Anthony fossero ancora dietro, ma non si staccavano. Decisero di fermarsi nei pressi del laghetto sotto un castello diroccato, in un angolo appartato che Darko aveva scoperto per caso. Legarono i cavalli e – una volta sistemati – lui si avventò su Emma con una tale passione che lei scordò tutto. Voleva solo il presente e lo voleva senza sconti. Si lasciò spogliare senza opporre troppa resistenza, ma a un certo punto lo fermò.

«Chi ti dice che io lo voglia?»

Darko rise.

«Scusami, ma un po' lo speravo.»

«Ah sì?»

Darko le si avvicinò mordendole un orecchio.

«Ti va di farlo qui?»

«Certe cose non si chiedono.»

Darko non se lo lasciò ripetere due volte e riprese l'assalto come un cowboy in libera uscita. Gli indumenti che toglieva, li buttava sul prato. A vederli dall'alto formavano una specie di letto. Il sole si stava abbassando lentamente e sembrava accarezzarli. Si amarono, finalmente, senza aver fino a quel momento pensato di poterlo fare. Darko, di solito padrone della situazione, si lasciò completamente andare e non riuscì neppure a controllare il piacere. Per un istante, Emma ebbe la visione di un cerchio che si stava chiudendo intorno a sé. Guardò il cielo cercando un punto a cui dire grazie, ma vide gli occhi pratici di quell'uomo che era balzato in piedi e le disse: «Dobbiamo rientrare che tra poco si fa buio e non vorrei crearti dei problemi».

Poi allungò la mano per aiutarla ad alzarsi e le passò i vestiti. La guardava mentre lei rideva con quello spirito da ragazzina che pensa di essere ancora nel campeggio nudisti.

«Perché non è successo prima?»

Fu questa domanda che i due si fecero mentre rientravano, al passo, verso il maneggio di Lipizza. La risposta arrivò da un tramonto così rosso da suonare come una canzone.

43

Pasquale era seduto su una panchina davanti alla chiesa greco-ortodossa almeno da mezz'ora e guardava lo stesso cielo infuocato che stava ammirando Emma dal Carso.

Aver visto Angela a Bassano non era bastato a tranquillizzarlo, anche perché non era successo nulla. Ora si trattava di un vero appuntamento che attendevano entrambi dalla sera prima. I cambiamenti più importanti delle persone avvengono per decisioni piccole, quasi impercettibili, ma significative. E dal primo «oggi non posso» che Angela gli aveva detto, Pasquale aveva capito che non poteva più fare il seduttore. Tanto più quando sentiva che il vento gli faceva alzare la giacca e scoprire una camicia un po' troppo stretta.

«Forse ho fatto una cazzata» si ripeteva guardando il mare, quando una mano gli si poggiò sulla spalla. Si voltò e sentì un profumo di rosa, prima di vedere la bionda più bella del pianeta, per lui. Aveva gli occhi un po' segnati, ma non era più importante. Quegli occhi avevano aspettato solo lui per tutto quel tempo.

«Pensavi che non venissi, vero?»

«Sì.»

«Sai Pasquale, ho passato tante sere della mia vita a pensare, e forse qualcosa ho capito.»

«Cosa?»

«Che spesso ci fidiamo del nostro istinto, e qualche volta ci sbagliamo.»

«Però è bello essere di nuovo qui.»

Di colpo Angela non era più così sicura. Aveva trascorso intere sere a guardare il Ponte Vecchio sperando che quell'uomo apparisse, e alla fine era spuntato dal mare. Aveva la sensazione che la loro fosse una relazione costruita solo sui ricordi, e i ricordi sono belli solo da lontano. Se si avvicinano troppo rischiano di confondersi con la realtà, che a guardarla bene è piena di difetti.

«Dài, smettila di fissarmi. Andiamo.»

E anziché accelerare il passo, Angela lo fermò e gli stampò un bacio che aspettava da troppo tempo e che lo avrebbe lasciato stonato tutta la sera. Lei era di nuovo in acqua, libera e felice, come le aveva detto Ferruccio.

«Dove mi porti a cena?»

«Pensi che sia un uomo così banale? O vuoi mangiare adesso perché qui da voi cenate con le galline?»

Angela rise e decise di stare al gioco. Lui la prese per mano e la portò fino in piazza Oberdan. Salendo sul tram per Opicina, lei si rese conto che lui era un po' teso. Il primo bacio se lo erano dati sulla Napoleonica, e ci erano arrivati proprio in tram.

Era una delle ultime corse e il mezzo era quasi deserto, per cui cambiarono posto più volte. Mentre il tram saliva, si parlavano senza guardarsi, intenti com'erano a osservare il paesaggio fuori. O forse era il loro modo di difendersi nell'affrontare questioni delicate.

«Cosa hai detto a tua moglie?»

«Che dovevo dare una mano a mio cugino con il lavoro.»

Angela rise.

«Perché ridi?»

«Perché appena ti sarai divertito un po' con me torni da lei... quindi potevi evitare di fare questa pagliacciata.»

Pasquale iniziava a urtarsi, ma non era nella posizione di obiettare nulla. Aveva la scorza dura e il cuore a palla, e la determinazione di provarci. Scesero al capolinea mentre c'era ancora un barlume di chiarore all'orizzonte che divideva il cielo come un quadro espressionista. Il golfo li accolse così, con poca luce e molto silenzio. Fecero qualche passo ma si fermarono quasi subito sul muretto davanti a quell'immensità. Non c'era nessuno intorno a loro.

«L'importante è essere di nuovo insieme, Angela. Qui, stasera, come tanti anni fa. Dobbiamo festeggiare.»

«E cosa vuoi festeggiare?»

«So che non sarà facile, ma ho bisogno che tu provi a dimenticare, altrimenti non ha senso che io sia venuto fino qui.»

«...»

«Se invece tu pensi che ormai il danno che ho fatto è irreparabile, allora dimmelo e me ne andrò di nuovo.»

Man mano che Pasquale parlava, Angela si rendeva conto che stava facendo sul serio.

«Ascoltami, Pasquale: l'unica persona che deve dimenticare è Emma. Quando lo farà lei, se lo farà, allora io mi sentirò realizzata. Per quanto mi riguarda, io ci sono. Pronta a ripartire, o almeno a provarci.»

Pasquale si toccò la voglia di caffè che Angela aveva ripreso a osservare. Non voleva illudere Angela, ma al tempo stesso non voleva perdere la speranza.

«Sai che è la prima volta che una donna mi bacia per prima?»

«Chissà che non succeda di nuovo.»

«Se vuoi dopo vieni a vedere l'appartamento che ho affittato, è al borgo teresiano, vicino a dove andavamo a volte.»

Lui pensava di colpirla, invece fu lei ad affondarlo.

«Se vuoi davvero riconquistarmi, dovrai aspettare. E non so quanto tempo ci vorrà.»

«Certo, certo... io ti aspetto. Mi sono preso un po' di tempo.»

«A qualcosa serve l'esperienza no?»

«Nel mio caso, non ho mai imparato niente.»

«Neanche io, sai, alla fine... ma almeno ci provo. Senti, Pasquale, devo dirti una cosa: sto morendo di fame.»

Così ripresero il tram e tornarono in centro. Riuscirono a fatica a trovare un locale che gli servì le ultime porzioni di prosciutto cotto e kren e ci bevvero sopra birra austriaca. Mentre mangiavano, il cameriere li guardava mettendo loro fretta. Erano gli ultimi clienti del locale. Erano tornati ragazzi.

Verso le undici Angela tornò a casa a dormire. Voleva rivedere sua figlia e voleva stare vicino a sua nipote. Quando arrivarono all'angolo, fu Pasquale a prenderla per il colletto dell'impermeabile e a dirle «adesso decido io».

Lei felice lo lasciò fare. Dopo mezz'ora erano ancora lì a baciarsi, quando Emma si affacciò alla finestra e vide i suoi genitori per la seconda volta insieme. Ebbe un attacco di tosse che la fece rientrare subito.

44

Per tre mesi, Emma e Angela vissero una sorta di esperienza parallela, in cui erano vicine con le menti ma distanti con le parole.

L'unica sera in cui parlarono, Emma le chiese: «Mamma, non ti manca Ferruccio?».

«Più di quanto pensassi. Ho provato a chiamarlo, qualche giorno fa, volevo sapere come stava. Mi ha detto che aspetta solo che io decida cosa voglio fare.»

«Non ti invidio, sai? Da piccola volevo essere come te, ma a vederti ora, credo che tu non sia stata tanto fortunata.»

«Invece sì. E sai perché? Perché tu mi parli ancora, mi ascolti. Sei molto più saggia di me, che sono una pazza.»

«Sei una pazza, ma sei mia madre.»

Angela le accarezzò i capelli ed Emma ricambiò. La sua storia con Darko andava sempre meglio, anche se l'alone di mistero che lo avvolgeva la rendeva piuttosto insicura. Lei era sempre stata abituata a raccontare tutto, a tirare fuori le emozioni. Darko invece sapeva relazionarsi meglio con i cavalli che con le persone, e con Emma aveva un rapporto soprattutto fisico. La cosa bella per lei era che anche Mila aveva iniziato a frequentare il maneggio con lo spilungone di Monfalcone: a volte organizzavano una grigliata in doppia coppia.

Quella per Emma era una situazione idilliaca, perché c'era l'armonia, la luce e un bicchiere di vino. Anthony era diventato un cavallo che ormai sapeva stare al mondo, anche se lei era consapevole che, in fondo, sarebbe sempre stato un rivoluzionario.

La donna che Darko aveva lasciato continuava però a bazzicare il maneggio con il marito, cosa che a Emma dava particolare fastidio: «Ma se è una cliente, cosa ci posso fare?» si difendeva lui.

Un pomeriggio tornò a trovarlo e di Darko non c'era alcuna traccia. La sua bici, però, era parcheggiata. Emma pensò che stesse male, perché quando la giornata era bella andava dai cavalli, così bussò direttamente alla roulotte. Lui aprì dopo un po', e aveva una faccia cadaverica, piena di angoscia e tristezza.

«È successo un casino... la tipa... la bionda... ha tentato il suicidio... si è ingurgitata un sacco di farmaci, è finita all'ospedale, vuole lasciare il marito... non so cosa fare...»

«Come non sai cosa fare?»

«Mi sento in colpa, Emma. Non so cosa provo, ma vorrei andare da lei.»

Emma non rispose. Prese la sua borsa e tirò fuori i blister delle pastiglie per il mal di testa. Iniziò a buttarne giù una, poi un'altra, poi un'altra ancora, fino a che si mise in bocca tutto il pacchetto.

«Ma cosa fai? Sei pazza?»

«Faccio quello che ha fatto la tua amica. Così siamo pari. Allora? Ora sei costretto a decidere.»

Mentre Emma diceva questo, forse suggestionata dal suo gesto, iniziava a sentire la salivazione azzerata e una specie di brivido strano.

«Piantala con quelle pastiglie! Bevi dell'acqua, si può sapere cosa stai facendo?»

«Io faccio quello che fa colpo su di te: attiro la tua attenzione. Ma non è così che si ama. Si ama in silenzio. Quindi io ora me ne vado e tu pensaci, okay?»

Emma si voltò e se ne andò sbattendo la porta. Si era giocata tutto.

Chiamò Mila ma lei non le rispose: aveva accompagnato la zia alla messa. Le veniva da piangere mentre, oltre ai brividi, sentiva uno strano mal di pancia con qualche crampo allo stomaco. I farmaci stavano facendo effetto. Passò davanti all'ospedale dove aveva lavorato tanto tempo e pensò che fosse ancora troppo presto per morire, soprattutto con una bimba ancora da crescere.

Al pronto soccorso la riconobbero tutti gli infermieri, che la ricoverarono subito. A visitarla, magicamente, scese il famoso chirurgo che non l'aveva dimenticata e arrivò di corsa. Dopo aver visto quante pastiglie di Moment aveva ingerito, decise di non farle la lavanda gastrica: «Nemmeno volendo saresti riuscita a farla finita. Tu sei la più forte di tutti. Però vorrei comunque visitarti.»

«Dottore, mi vergogno tanto.»

Conversavano mentre lui le faceva domande tecniche e la palpava in varie parti del corpo.

«Quello che hai fatto può succedere. Sei innamorata?»

«Sì.»

Emma restò imbambolata e le vennero gli occhi lucidi. Il dottore l'accolse tra le sue braccia come un amico, lasciando le infermiere piuttosto esterrefatte.

«Però ti devo fare un prelievo del sangue, perché c'è un valore che vorrei verificare. Ma è solo per poterti dimettere subito.»

Lei lo guardò grata e si sentì in imbarazzo per aver intasato la corsia del pronto soccorso con una scenata delle sue.

Dopo mezz'ora il medico tornò e con un mezzo sorriso disse: «Sei incinta».

Emma trasalì.

«Ma come incinta?»

«Di almeno tre mesi. Non ti sei accorta che ti era saltato il ciclo?»

«Be' sì... ma pensavo fosse legato allo stress.»

Il medico rise.

«Lo so, dottore, ma io non ci sto capendo niente.»

Il dottore la guardò negli occhi: «Emma, non so perché ma io ti voglio bene. Per cui tu potrai sempre contare su di me e sul mio aiuto... e se avrai bisogno di un lavoro potrò aiutarti anche in quello».

«Ma io un lavoro ce l'ho! È un marito che mi manca.»

«Per quello non posso aiutarti. Ma se questa è solo una lite, lui tornerà.»

«Lei dice?»

«Se solo avessi avuto vent'anni di meno me la sarei sposata io una come te.»

A Emma tornò la carica. Prima di rientrare a casa, sconvolta come raramente le capitava, andò a farsi un giro a San Giusto. Si appoggiò al muretto sotto la cattedrale a guardare il mare e stette lì immobile. Aveva un nuovo bambino in grembo, e ce l'aveva da un uomo che non sapeva cosa avrebbe deciso. Ci pensò tutta la sera, ma quando si ritrovò davanti allo specchio si guardò e si disse: «Glielo dirai solo se si fa di nuovo vivo. Perché noi Pipan non vogliamo la carità di nessuno».

Con quella specie di patto da amazzone dal cuore fragile, Emma decise di affrontare i giorni più lunghi della sua vita. Lavorare era l'unica cosa che la teneva viva, mentre il suo corpo si stava nuovamente trasformando. Decise di non confessarlo a nessuno, solo a Mila, che dopo averlo detto a sua zia la supplicava di avvisare Darko. Ma lei fu irremovibile.

Una sera che se ne stava a casa a fissare il soffitto, sua madre entrò senza bussare: «C'è un uomo qui fuori che vorrebbe parlarti...».

Non ci poteva credere. Forse la vita non era solo male. A volte le cose girano, e girano a tuo favore. Si affacciò di corsa alla finestra e vide una sagoma che aveva una forma un po' diversa da quella di Darko. Era più alto e più robusto, con un'eleganza composta ma un po' grossolana.

Era suo padre, e la stava aspettando sotto casa.

45

Pasquale aveva i lucciconi agli occhi, ma Emma aveva nello sguardo solo la delusione. Sperava di rivedere Darko, invece si era ripresentato suo padre.

«E così alla fine sei tornato.»

«Ti va di fare due passi?»

Lei non sapeva cosa rispondere. Era nervosa, aveva un figlio in grembo, un fidanzato sparito, e ora un genitore davanti a sé che la guardava con tenerezza.

«Sì dài, almeno mi distraggo un po'... non è un bel periodo.»

«Tu e tua madre siete due inquiete. È più forte di voi.»

«Forse perché troviamo sempre uomini sbagliati.»

Pasquale non si scompose e tirò fuori un sorriso forzato, mentre Angela, dalla finestra, li vedeva sparire dietro l'angolo.

«Io sono cambiato, e lo sono grazie a te. Se tu non mi avessi cercato, non avrei mai ritrovato tua madre. Poi come andrà non lo so.»

«Sono contenta per voi.»

«E tu come stai?»

«Sono abbastanza infelice.»

Pasquale ebbe una fitta al cuore e non riuscì a resistere.

«Ti posso abbracciare?»

«Non volermene ma ora non me la sento, anche se mi fa piacere parlare con te» disse Emma continuando a camminare.

«Cosa posso fare per aiutarti?»

«Lasciarmi stare. Non insistere a volermi vedere, a volermi parlare. Fai come se io non ci fossi: se vuoi frequentare mia madre fallo pure, uscite, divertitevi, ma lasciate che io viva per conto mio.»

«Io vorrei che tu stessi bene.»

«Ma non basta che tu lo voglia.»

«Succederà comunque. E succederà prima che tu lo immagini.»

Pasquale si sporse dietro un muretto dove spuntava un quadrifoglio, lo colse e lo diede a Emma.

«Che bello, grazie. Cosa devi farti perdonare?»

«Tutto.»

Emma abbassò lo sguardo perché le dispiaceva essere così arrabbiata.

«Siamo nel posto al mondo dove le nuvole vanno via più in fretta. E se soffiamo insieme vanno via prima.»

«Ora forse è meglio se ti riaccompagno...»

«Come vuoi. Conosco queste strade a memoria, da piccola correvo come una pazza intorno a questi palazzi sperando di trovare i miei genitori. Vi ritrovo adesso che non ne ho più bisogno.»

«Sei sicura di non averne più bisogno?»

«Ora voglio tornare a casa.»

Pasquale le porse il braccio e per fortuna Emma decise di accettare. Sentiva che c'era del buono in lui e a un certo punto bisogna smettere di fare la guerra perché perdi solo tu. Non dissero più niente man mano che si arrampicavano su quelle salite sempre più ripide.

Quando girarono in via della Bora, si resero conto che davanti alla porta di casa c'era un uomo seduto con lo sguardo perso nel vuoto. Era Darko.

Emma salutò suo padre, i due uomini si lanciarono uno sguardo di sfida e un saluto di circostanza.

Rimasti soli, Darko mise in moto il suo scooter e chiese a Emma di salire. Lei avrebbe voluto opporre un po' di resistenza, ma era stanca, per cui salì.

«Ti ho chiamato tutto il giorno e avevi sempre il telefono spento... così ho pensato di venire direttamente a casa tua.»

«Sì, non avevo voglia di sentire nessuno.»
«E non avevi voglia di vedermi?»
«Io sì. Ma sei tu che sei sparito.»
«Adesso stringiti forte, e poi parliamo.»
Emma aveva la sensazione, a ogni curva, che lui potesse sentire cosa portava in pancia. Era felice che fosse tornato, anche se non sapeva cosa stava per dirle. Pensò che ogni volta che suo padre compariva le faceva accadere qualcosa di buono, e questo ormai era un dato di fatto.
Arrivarono a una chiesetta abbandonata che Darko aveva scoperto nei suoi giri folli in bici. Era bellissima perché da lì si poteva vedere fino alla Slovenia e oltre, anche se quella sera c'era foschia. Ma Darko non aveva tempo da perdere.
Fece accomodare Emma su uno scalone, e si sedette ai suoi piedi.
«Volevo dirti che quella donna, quella che si è impasticcata, è fuori pericolo. Si è salvata, ora la seguirà uno psicologo e per me è un grande sollievo. Per questo sono sparito. Non so se ora è troppo tardi, o vuoi dirmi che non mi vuoi più e basta. E se lo farai, io me ne andrò e capirò. Anzi, voglio dirti di più, e te lo dico subito: grazie comunque.»
Emma aveva il cuore a mille, ma non voleva darlo a vedere.
«Ho bisogno ancora di un po' di tempo per pensarci.»
«Quanto tempo?»
«Almeno sei mesi.»
«Sei mesi?»
«Sì, perché tra sei mesi saremo in tre.»
Emma prese le mani di Darko e se le appoggiò sul ventre.
«Ma... ma... è mio?»
Lei si lasciò andare a una risata, mentre gli occhi di Darko erano sbarrati.
«Ma perché non me l'hai detto?»
«Perché volevo che tornassi senza un ricatto. E se non lo vorrai, non ti preoccupare. A casa nostra siamo abituati a crescere i figli da soli.»

«Tu sei pazza. Ora che ti ho trovato non ti lascerò andare mai. E per un po' scordati di salire su Anthony. Me lo prometti?»

«Solo se mi dici che non sparisci più.»

Lui le rispose con un bacio e due parole che, per la commozione, fece fatica a pronunciare.

46

«Pronto, Ferruccio?»

«Ciao Angela, come stai?»

«Bene. Ho deciso di tornare a Bassano. Se tu mi vuoi ancora, io ci sono.»

«È andata male?»

Il tempo aveva reso Ferruccio più distaccato, anche se sentiva la terra mancargli sotto i piedi.

«No, è andata molto bene. Ma solo stando qui, davanti al mio mare, ho capito che voglio stare con te.»

«Perché?»

«Perché tu ci sei sempre stato e non mi hai mai giudicato. E lo hai fatto sempre, anche quando ero depressa, anche quando non ti volevo... tu c'eri.»

«E lui lo sa?»

«Lo sto aspettando per dirglielo.»

«E se cambi idea?»

«Ci ho messo tanto a capirlo, non succederà. Vorrei solo aspettare che Emma partorisca, dovrebbe essere a breve.»

«Io sono qui.»

«Sei andato ancora a pescare?»

«Sempre. Le trote mi chiedono di te.»

«Salutamele tanto, allora. Non so se te l'ho mai detto veramente, ma oggi te lo posso dire: ti amo.»

«Io te l'ho sempre detto, per cui te lo ripeto solo quando ti rivedo.»

Misero giù insieme, un po' sconvolti, come se avessero fatto l'amore. Ferruccio stappò una bottiglia di vino e se ne fece un bicchiere seduto sul divano: era una gioia che non poteva condividere con nessuno.

Angela, invece, stava per incontrare Pasquale. Era seduta su una delle ultime bitte del Molo Audace, e restò lì a godersi una bora che aveva iniziato a tirare. Lo vide arrivare all'orizzonte, piccolo e sorridente, con la coscienza leggera e il passo veloce. Uno stato d'animo molto diverso rispetto a quello che aveva provato lei in quello stesso luogo molti anni prima. Appena la vide da vicino, Pasquale però capì che c'era qualcosa di strano. Forse se lo sentiva anche lui, forse semplicemente non voleva ammetterlo a se stesso.

«Ho deciso di tornare da Ferruccio.»

«L'avevo capito.»

«Da cosa?»

«Non lo so. Forse avevamo troppe aspettative e il tempo ci ha fregati, e la nostra storia alla fine è stata come una bella estate.»

Angela era colpita, ma anche incredibilmente lucida.

«E probabilmente se tu all'epoca non fossi scappato, ci saremmo scontrati subito dopo. Siamo troppo vanitosi e troppo diversi.»

«Ma finora sembrava che andasse tutto bene...»

«Infatti va tutto bene. Ma io volevo il sogno, e quello era solo nella mia testa. E allora, se devo vivere nella realtà, preferisco farlo con chi mi fa stare bene. Con chi mi ha rispettato ed era con me quando ero sola. Quando ero triste. E a ripensarci, in questi giorni, ho capito che è questo l'amore. Almeno per me. Forse l'ho capito tardi, ma spero di no.»

I due avevano iniziato a camminare lentamente e a ripercorrere il Molo Audace in senso contrario. Piazza Unità si stava accendendo di luci e sembrava accoglierli nel modo migliore. C'era una strana sensazione di sollievo che toccava entrambi, anche se Pasquale non lo dava tanto a vedere.

Angela era sorpresa da quella pacatezza. Gli prese la mano.

«Sei arrabbiato?»
«No, ma ho paura di perdere Emma.»
«Vedrai che non succederà. E adesso sono curiosa di vedere chi arriva.»
«Quanto manca?»
«Credo sia questione di giorni, di ore. Io vorrei aspettare la nascita e poi torno a Bassano. Mi manca, lo sai?»
«Allora devi tornare là, dove mi hai fatto notare la mia voglia di caffè.»
In mezzo a piazza Unità, nel viavai del pomeriggio, Pasquale strinse Angela per così tanto tempo che la vita sembrò fermarsi solo per loro.

47

«Signora, è maschio. Come lo vogliamo chiamare?»

«Come maschio?»

«Maschio. Ha anche un bel pisello. Non è contenta?»

«Sì, sì. Ma chissà perché mi aspettavo una femmina.»

L'ostetrica la guardò un po' sorpresa. Era alla fine della sua giornata di lavoro e poteva finalmente uscire, per cui se la prese con un po' più di calma.

«Le femmine hanno vita più difficile, dia retta a me. E sono insicure, e nessuno mi telefona, e sono grassa, e voglio un figlio, e poi si vedono brutte, e poi beata te, e poi non mi fai mai un regalo.»

Emma annuiva e sorrideva.

«E i maschi, invece?»

«I maschi sono semplici: gli dai da mangiare, li vesti, li lavi, li soddisfi a letto, gli dici che esistono solo loro e li aspetti quando escono, tanto tornano. Gli uomini tornano sempre.»

«Già.»

«Allora come lo chiamiamo?»

Emma pensò a tutte le cose che le avevano detto da piccola, e le venne in mente un aneddoto che le raccontava sempre la nonna.

«Mia madre voleva chiamarmi Giorgio, perché voleva un maschio. Forse è arrivato il momento di farle un regalo. Che dice?»

«Giorgio mi piace.»

Darko entrò nella stanza solo in quel momento. Aveva atteso fuori con impazienza e urlato come dopo un gol della Nazionale. Poi aveva iniziato a piangere come la fontana di Trevi davanti a quel fagottino incazzato, mentre Emma lo guardava divertita: «Ma dimmi tu se uno che sa ammansire i cavalli impazziti poi deve frignare come un adolescente».

Ma a lui non interessava nulla. Piangeva e diceva «figlio mio» così tante volte che il piccolo a un certo punto lo confuse con la madre e gli si addormentò addosso. Poi arrivò il chirurgo preferito di Emma e una serie di colleghi che se la ricordavano benissimo dai tempi in cui lavorava in reparto: lei non si era mai sentita così importante.

E così, davanti a questo quadretto poco convenzionale, con le infermiere che correvano a farle visita neanche fosse la Carrà ai tempi di *Com'è bello far l'amore da Trieste in giù*, si palesò colui che – per anni – era stato l'unico uomo della sua vita: lo zio Riccardo.

«E tu come sai che è nato?»

«Ricorda che un latin lover ha amanti in ogni dove. E le amanti, pur di vedermi, mi raccontano tutto. Auguri signorina!»

Emma allargò le braccia e venne invasa da un profumo di colonia al pino che neanche sul Carso.

«Hai visto? È maschio!»

«Non avevo dubbi. Tu alla fine hai sempre avuto ciò che volevi... e sai perché?»

Lo zio si sentì un po' osservato da tutti, così si avvicinò all'orecchio di Emma e le sussurrò: «Perché sei buona. E oggi essere buoni è la cosa più trasgressiva che si possa fare».

Emma non sapeva che dire, così cambiò discorso parlando a voce molto alta, e tutti la guardavano come dire: "Signorina la prego, è appena diventata mamma...". Presto entrò la caposala per dire che era arrivata Angela.

«Mamma, è un maschio! Non eri tu che volevi un maschio?»

«Io non volevo un maschio. Io volevo un padre per te... un padre che mi ha accompagnato qui e che non ha ancora il coraggio di entrare.»

«Ma dài, è qui fuori? Fallo accomodare.»

Angela uscì dalla stanza e lo chiamò.

Pasquale era piuttosto intimidito e teneva in una mano il cappello e con l'altra una scatola di cartone, che appoggiò sul tavolino.

Quando vide il neonato tra le braccia di Emma non seppe resistere. Lo sfiorò con un dito, avendo paura che si sciupasse, invece era un'opera semplicemente perfetta: «Come si chiama?».

«Giorgio.»

Angela ebbe un tuffo al cuore.

«Io sognavo di chiamare mio figlio Giorgio.»

«Il tuo sogno è diventato il mio regalo.»

Angela guardò sua figlia e, per la prima volta, sentì che non era più arrabbiata con lei.

Poi si fece passare il nipotino. In una stanza simile dello stesso ospedale in cui lei aveva vissuto un incubo, ora era entrato un sogno. Ci pensò il piccolo Giorgio a riportarli alla realtà perché iniziò a piangere così forte che rientrarono subito anche lo zio Riccardo, Darko, le infermiere e pure il chirurgo, per capire cosa fosse successo. Ma era solo fame. Così assistettero tutti a quella prima poppata come se fossero di fronte a un presepe laico, mentre dalle finestre raggi di luce riflessi invitavano a lasciarsi andare.

A un certo punto, Pasquale chiese a tutti di uscire, tranne che ad Angela. Voleva restare solo con quelle donne che per un po' non avrebbe più visto. Prese la scatola e la passò a Emma: «Questo è un pensiero per te».

Emma prese il pacco e sentì che era caldo. Lo aprì, e dentro c'erano dei tranci di pizza appena sfornata.

«Papà, la pizza. Avevo proprio fame!»

«L'ultima volta l'avevi lasciata nel piatto, e in tutti questi anni non me lo sono mai perdonato.»

Angela guardava quella scena incredula, ma sentiva uno strano sollievo invaderle tutto il corpo. Sua figlia le stava passando un pezzo di margherita, che accettò senza esitazione. Anche Pasquale prese la sua porzione. Non avevano i tovagliolini, ma non era così importante.

Emma rivolse il suo trancio verso i suoi genitori e, senza riuscire a guardarli negli occhi, disse: «Non avrei mai pensato di poter essere felice».

Poi divorò la pizza.

Ringraziamenti

Ho trovato questa storia un sabato sera, salendo sulla macchina di una sconosciuta. Una di quelle sere in cui ti chiedi "che ci faccio qui?" come quando vai a una festa controvoglia. Invece la vita ti sorprende quando meno te lo aspetti, basta darle fiducia e ti ripaga con un regalo: a volte è una giornata di sole – quando le previsioni danno pioggia battente, tipo a Pasquetta – a volte è un racconto.

Scelgo le storie per istinto, non faccio calcoli, è l'unica regola che seguo. Poi mi devo innamorare dei luoghi in cui le ambiento, e Trieste è sempre stata una mia fissa, da quando il mio amico Emanuele Ciccone mi invitò a visitarla qualche anno fa (ci sono sempre i Ciccone nella mia vita). Ricordo ancora che mi scrisse: "Quando arrivi a Monfalcone guarda sempre fuori dal finestrino". Da allora, ogni volta che torno a Trieste attendo con ansia la fermata di Monfalcone per godermi quel golfo. E poi Trieste mi piace perché, come a Torino, non ci capiti per caso.

Grazie in primo luogo e per sempre a Patrizia Ziviz e a Marco Segulin, che mi hanno aperto le porte di questa città meravigliosa, facendomi conoscere dai tuffi alla clanfa al mondo dei jeansinari. La vostra generosità verso uno sconosciuto mi ha emozionato.

Grazie a tutti i triestini che ho incontrato in questi anni alla libreria Lovat: ma quanto siete puntuali?

Grazie ad Alex Fabbro, per avermi portato sul Carso e in Osmiza.

Grazie alle sorelle Manfrotto della libreria Palazzo Roberti di Bassano del Grappa, in particolare a Lorenza, per aver condiviso il cuore e i ricordi di un altro luogo a me caro.

Grazie a Nunzio Belcaro e a tutti i miei amici in Calabria.

Grazie alla mia editor Joy Terekiev per credere sempre nei miei sogni.

Grazie a Marco Ponti, per accompagnarmi nei viaggi.

Grazie a Marina & Marina dell'Ausonia, Paolo Cartago, Andrea Giardina, Federica Alletto, Sandro Bosco, Paola Brazzale, Chiara Melloni, Marco Miana, Sosia & Pistoia, Cono Casale, Virgilio Ferrari, "Santa" Piana, Francesca Cinelli, Rocco Liggieri e Viola Nassivera di Borgo Eibn a Sauris, Titti il Bar di Monopoli, la masseria Torre Coccaro, Lorenza L'Abbate, Gianni e Annamaria Polignano, la Fattoria del Colle di Trequanda, Simona Baroni, Andrea Caravita, Barbara Di Poggio, Dolce & Gabbana.

Grazie a Gianni Morandi, che ha scelto l'ultima parola di questo romanzo una sera a cena a Bologna (con Anna, ovviamente). Grazie anche per i tortellini.

Grazie a Ornella Tarantola, Felipe Silva, Oscar Perli, Enrica Ferretti, Daniela Berbotto, Mirko Nazzaro, Alberto Matano (Mappano!!!) per condividere solo momenti belli.

Un grazie particolare a Barbara Gatti, cui auguro la carriera che merita, e alle ragazze della Mondadori: Nadia Focile, Cecilia Palazzi, Cristiana Moroni, Fabiola Riboni, Lori Grossi, Elisa Denatali, Camilla Sica, Mara Samaritani, Emanuela Canali, Silvia Granata, Francesca Chiappinelli.

Grazie alla mia famiglia, a mio fratello Marco, a tutti i librai che ho incontrato, a chi mi vuole bene anche senza conoscermi personalmente.

E a voi lettori – gente rara – un bacio.